Theo Savuti

Über die Abschaffung von Kriegen

Bibliografische Information der Deutschen Bibliothek:
Die Deutsche Bibliothek verzeichnet diese Publikation in der
Deutschen Nationalbibliografie; detaillierte bibliografische
Daten sind im Internet über http://dnb.ddb.de abrufbar.

ISBN-10: 3-937751-32-7
ISBN-13: 978-3-937751-32-7

© Anderbeck Verlag, 2006

Layout, Umschlaggestaltung: PHartmann, Leipzig
Printed in Germany

Theo Savuti

Über die Abschaffung von Kriegen

UM-DENKANSTÖSSE

Zum Buch

Hier geht es um viel mehr als um die uns vertrauten Friedensbemühungen. Hier geht es ganz umfassend um menschliches Fehlverhalten ... um unsere Kriege und deren aufwändige Vorbereitung, um die Zerstörung unserer Umwelt und auch um unsere ungezügelte Vermehrung.

Theo Savuti analysiert, in welchem Bereich wir heute mit unseren Handlungen beabsichtigte Wirkungen zu erzielen vermögen, und er grenzt dieses denkend gesteuerte Verhalten gegen den großen Bereich ab, in dem das, was wir tun und unterlassen, noch immer von Traditionen, Dogmen, sozialen Normen und Erwartungen gesteuert wird. Er erklärt, warum in diesem außengeleiteten Bereichs unseres Verhaltens die Auswirkungen unserer Handlungen für uns selbst zufällig eintreten, also unseren Wünschen und Absichten entzogen sind.

So kann es immer wieder geschehen, dass wir überraschend mit Kriegen und Umweltkatastrophen konfrontiert werden, obwohl wir diese selbst systematisch und mit großem Aufwand herbeigeführt haben.

Die nahe liegende Konsequenz, unserer Denkvermögen auch im bisher außengeleiteten Bereich unseres Verhaltens zu gebrauchen, bedeutet jedoch, dass wir uns überwinden müssen, viele anerzogene »Gewissheiten« in Frage zu stellen.

Wir müssen lernen, uns selbst anders einzuschätzen als bisher, wir müssen uns ein genaueres, kritischeres Sprachverständnis aneignen und nicht zuletzt haben wir starke emotionale Widerstände zu überwinden, damit uns diese Neuorientierung gelingen kann.

Theo Savuti beschreibt dies nicht nur verständlich und eindringlich, sondern er gibt uns mit seinem Buch ein Beispiel dafür, dass diese Neuorientierung für die Menschen keine Utopie bleiben muss.

Inhalt

Vorwort

Liebe Leserin, lieber Leser!

Das ungewöhnlichste und bemerkenswerteste Ereignis in meinem Leben habe ich bisher für mich behalten.

Nicht, weil ich ein verschlossener Eigenbrötler wäre, sondern weil ich schlicht vor Formulierungsschwierigkeiten kapitulierte.

Stellen Sie sich vor, Sie wollten anderen etwas mitteilen, was so neu und anders ist, dass es in keinen bekannten Kontext passt, ja, dass sogar ein passendes Vokabular noch fehlt. Eine vertrackte Situation, wie Sie zugeben werden, zumal ich das, was ich zu sagen hätte, für eminent wichtig halte.

Nun – heute werde ich einen Versuch wagen:

Schon über vierzig Jahre ist es jetzt her, als ich in einer Januarnacht in meiner Kölner Studentenbude eine aufregende Entdeckung machte.

Viele Tage und Nächte habe ich daraufhin darüber nachgedacht und geschrieben, um festzuhalten, was sich da in meinem Kopf neu strukturierte und ordnete. Diese überraschende Entwicklung schwächte sich zwar später ab, aber sie blieb unumkehrbar.

Ich war ein anderer Mensch geworden – unabhängiger, ausgeglichener, einfühlsamer und sehr viel klarsichtiger.

Ich studierte damals Sozialwissenschaften – was

in dieser Zeit mit mir geschah, war mir also theoretisch bekannt als »die Phasen der heuristischen Regression und der Elaboration im Verlauf eines produktiven Prozesses«. Ein Mensch gerät hierbei in die überraschende Situation, etwas ganz Neues, etwas bisher noch nicht Vorstellbares zu entdecken, und er hat sich nun mit dieser Situation auseinanderzusetzen.

Das ist nicht allzu ungewöhnlich: Ständig schieben Wissenschaftler die Grenzen unseres Horizontes mit neuen Erkenntnissen weiter hinaus.

Dies am eigenen Leibe zu erfahren, war jedoch so sensationell, so unbeschreiblich fesselnd, dass ich mich von all den anderen Aufgaben, Sorgen und Bedürfnissen, die normalerweise unseren Tagesablauf bestimmen, völlig entlastet fühlte. Angesichts meiner Entdeckung verblasste alles andere zur Bedeutungslosigkeit – die Vorlesungen und Übungen, das an Termine gebundene Arbeitsprogramm, die Freundschaften und Verabredungen – all dies wurde unwichtig.

Ich konzentrierte mich ganz auf die sprachliche Darstellung meines so überraschend aufgefundenen neuen Konzeptes, und ich war so beeindruckt von dessen sozialer und politischer Bedeutung, dass ich in dieser Zeit kaum zu schlafen brauchte. Nie wieder habe ich so konzentriert und ausdauernd gearbeitet, nie wieder mein Fühlen und Denken so bewusst und tief erlebt wie in diesem Winter und Frühjahr 1965.

Eine erfreuliche intensive, dichte, produktive, und zugleich sorglose Zeit ...

Die Unbeschwertheit war jedoch nicht von Dauer. Nachdem ich mir selbst Klarheit darüber verschafft hatte, was ich da herausgefunden hatte, und nachdem ich überblickte, wie weitreichend und hoffnungsvoll die Bedeutung dieses neuen Wissens sein könnte, wenn es Verbreitung fände, lag der Wunsch nahe, es auch anderen zugänglich zu machen. Aber das erweist sich auch nach vierzig Jahren noch als eine schwer zu lösende Aufgabe.

Ich ging damals ruhig und gefasst davon aus, dass sozial relevante neue Erkenntnisse (soziale Innovationen) zwar von einzelnen Personen gefunden werden, dass ihre Durchsetzung aber vom Duktus der Zeit abhängt, in der sie entstehen.

Neue Sichtweisen können sich nur dann allgemein durchsetzen, wenn sie ein plausibles Lösungskonzept für allgemein als belastend empfundene Erfahrungen bieten. Erst in dem Maße, wie Kriege, Hungersnöte, Umweltschäden und Unwissenheit als bedrückend erlebt werden, darf eine breite Bereitschaft erhofft werden, sich mit einem neuen Konzept auseinanderzusetzen, das darauf abzielt, die Belastungen zu verringern und unser Miteinanderleben in Zukunft besser zu regeln.

Ich meinte also, zuversichtlich sein zu dürfen.

Und mehr noch: Wenn es der uns alle betreffende Erfahrungszusammenhang ist, der eine soziale Innovation gewissermaßen provoziert, dann bin ich vermutlich nicht allein mit meinen Gedanken und Ambitionen, dann darf ich vielmehr hoffen, dass auch andere Personen parallel zu mir und unabhängig von mir dieses neue Konzept für ein besser gelenktes Zusammenleben der Menschen vorbereiten.

Schön zurechtgedacht und sicherlich nicht ganz falsch ...

Aber tatsächlich ist alles viel komplexer, viel schwieriger und ungewisser.

Es geht hier nicht mehr nur um das naturwissenschaftliche Erforschen neuer Zusammenhänge, die uns selbst nur indirekt betreffen und die wir distanziert und objektiv auf ihre Verwendbarkeit hin prüfen können.

Hier geht es um subjektive Wirkungszusammenhänge, um neue Erkenntnisse, die sich unmittelbar auf uns Menschen auswirken, die also uns selbst verändern werden, unsere Vorstellungen und Ansichten, unser Selbstverständnis, unser Urteilsvermögen und folglich auch unser soziales Verhalten.

Das ist für uns heute noch gänzlich neu.

Lassen sie mich also im Folgenden versuchen, komplexe Wirkungszusammenhänge zu beschreiben, die bisher noch nicht in Worte gefasst wurden.

Leider muss ich dazu einen Umweg machen, der von Ihnen Geduld und Ausdauer fordert, und ich werde ihnen auch einige Provokationen und Wiederholungen zumuten. Es sind unterschiedliche Themen, über die ich schreiben werde und die Ihnen neue Aspekte eröffnen sollen. Sie werden dazu allerdings einige Ansichten revidieren und ersetzen müssen, die Sie bisher wohl nie in Frage gestellt haben.

Vielleicht kann ich Ihnen so eine Sichtweise vermitteln, die Sie nach und nach das erkennen lässt, was ich eben leider nur auf diese umständliche indirekte Weise sagen kann.

Ich werde dabei nicht Wissenschaftlichkeit um ihrer selbst willen zelebrieren. (Auch Literaturhinweise können für Sie hier kaum hilfreich sein.)

Lockere Unterhaltung werde ich Ihnen freilich auch nicht bieten können.

Dies ist ein ambitioniertes Informationsprogramm, das auch vom Lernenden eine große Bereitschaft zur Mitarbeit erfordert, wenn es Erfolg haben soll. Ich hoffe, dass sich Ihre Mühe am Ende lohnen wird!

Homo sapiens?

**»Was wir wissen, ist ein Tropfen,
was wir nicht wissen, ist ein Ozean.«**

Das sagte der kenntnisreiche Isaak Newton –
und was vor dreihundert Jahren zutraf, das gilt
auch heute noch und in der Zukunft.

Trotzdem ist unser theoretisch verfügbares Wissen längst so umfangreich geworden, dass wir
eine Auswahl treffen müssen, wenn wir unsere
Kenntnisse systematisch erweitern wollen.

Dabei liegt es nahe, die Informationen zu suchen,
die für uns am wichtigsten sind. Das sind die
Wissensbereiche, die in unmittelbarer Beziehung
zu unserem Dasein stehen.

Unser Dasein wird weitgehend von uns Menschen
selbst gestaltet oder zerstört. Unser Leben hängt
also davon ab, was wir tun oder unterlassen.

Folglich sollten wir uns über menschliches Verhalten informieren und besonders darüber, welche Möglichkeiten wir haben, unsere Handlungen zu bestimmen und zu steuern.

Es gibt keinen Wissensbereich, der heute noch
aktueller und wichtiger wäre. Keine anderen
Kenntnisse sind für uns von so existenzieller Bedeutung.

Mit unserem Verhalten reagieren wir auf das,
was wir kennen, erkennen, begreifen. Nun ist jedoch unsere Welt – also die Welt, wie wir sie sehen – nur ein unscharfer, lückenhafter Ausschnitt der realen Welt, in der wir leben.

Das liegt zunächst an der Beschränktheit unserer sinnlichen Wahrnehmung:

So haben wir im Biologieunterricht gelernt, dass beispielsweise ein Adler viel schärfere Augen hat als wir, dass eine Katze auch bei schwachem Licht, das uns als Dunkelheit erscheint, noch gut sehen kann und dass Fledermäuse eine Ultraschall-Echopeilung einsetzen, um sich im Fluge zu orientieren und um Beutetiere zu orten.

Wir wissen, dass Mäuse emsig in für uns nicht mehr hörbar hohen Tönen piepsen, was Eulen und Füchse wiederum in die Lage versetzt, ihre geschwätzige Beute selbst in tiefer Dunkelheit oder unter einer dichten Schneedecke zu hören und zu fangen.

Elefanten dagegen unterhalten sich über weite Entfernungen mit Brummtönen, die für unser Ohr viel zu tief sind.

Unser Hörbereich von etwa 16 bis 20.000 Herz stellt eben nur einen Ausschnitt zwischen dem Infra– und dem Ultraschallwellenbereich dar. Und auch von dem breiten Spektrum unterschiedlicher Wellenlängen, die uns die Sonne auf die Erde schickt, sehen wir lediglich den schmalen Bereich von 380 bis 780 Nanometern.

Unser Sehvermögen ist also wie unser Hörvermögen nur ein enges, trübes Fenster hinaus in die Welt der Bilder und Farben, der Geräusche und Klänge.

Vergleichsweise am schlechtesten ist unser Geruchssinn geraten. (Welche Erlebniswelten mögen sich einem Hund auftun, der an einem Laternenmast schnuppert! Was mag ein Falter erleben, der einzelne Duftmoleküle einer Blüte oder eines kilometerweit entfernten Artgenossen wahrnimmt?)

Auch unseren Gefühls- und Geschmackssinn finden wir nur deshalb nicht allzu enttäuschend, weil wir es halt nicht anders kennen ...

Wir besitzen also lediglich fünf schwache und eng begrenzte Antennen nach außen. Der Informationsfluss von dort draußen zu unserem Gehirn ist entsprechend spärlich. Da kann auch die beste Auswertung der empfangenen Informationen im Gehirn (wenn sie denn stattfände) nur höchst unvollkommene Ergebnisse bringen.

Aber eben diese Ergebnisse, dieses schemenhafte Abbild, das sich unser Gehirn aus dürftigen Informationen zusammenbastelt, ergibt die Welt, wie sie uns erscheint.

Unsere Menschenwelt wohlgemerkt, nicht die wirkliche Welt!

Die können wir nicht kennen ...

Wir dürfen allenfalls vermuten, dass sie in mancher Hinsicht dem unvollkommenen Bild ähnelt, das wir uns von ihr machen.

Sonst könnten wir nämlich nicht so stark verändernd auf unsere Umwelt einwirken. (Wobei wir freilich wieder nur einen kleinen Teil der von uns bewirkten Veränderungen zu erkennen vermögen.)

Einen hoffnungsvollen Ausblick gibt es dennoch bei all unserer Begrenztheit:

Wir erweitern und vertiefen nämlich das Bild,

das wir uns von der Welt machen, indem wir unsere Erfahrungen und Kenntnisse über sie mehren.

So sehen wir beispielsweise Bäume mit anderen Augen, wenn wir die Erfahrung gemacht haben, dass sie uns Regen- und Windschutz bieten, dass sie uns Schatten spenden oder uns Bau- und Brennholz und oft auch Essbares liefern.

Wir wissen Bäume auch mehr zu schätzen, wenn wir gelernt haben, wie und in welchem Maße sie unsere Luft über die Photosynthese von Kohlendioxid befreien und mit Sauerstoff anreichern, wie sie Wasser filtern und speichern, wie sie das Klima für uns verbessern, den Boden düngen und vor Erosion schützen oder Lebensraum für unzählige Tiere, Pflanzen, Pilze und Mikroorganismen schaffen.

Was für das durch Erfahrung und Wissen veränderte und bereicherte Bild zutrifft, das wir uns von den Bäumen machen, gilt natürlich auch für alles andere, was uns in unserem Leben begegnet und über das wir uns möglichst umfassend informiert haben.

Kenntnisse von der Welt in der wir leben, schärfen nicht nur unser Interesse und unsere Aufmerksamkeit, sondern sie erfüllen uns zugleich mit Fürsorge, Anteilnahme, Bewunderung und Freude.

Je besser wir unsere Welt kennen lernen, desto mehr bereichern und intensivieren wir unser Leben.

Und doch wissen wir heute:

Unsere Welt ist anders als die, die wir zu erkennen vermögen – noch viel reicher, komplexer, verletzlicher, erhaltenswerter, schöner ...

»We have modified our environment so radically that we must now modify ourselves to exist in this new environment.«   Norbert Wiener

Entwicklung – wohin?

Wie alle Lebewesen entwickeln auch wir Menschen uns weiter.

Wir selbst sind also die unfertigen Vorläufer höherentwickelter Nachfahren, sind Wesen des Übergangs aus einer finsteren Vergangenheit in eine hoffentlich bessere Zukunft – es sei denn, wir bringen es fertig, uns eigenhändig auszurotten, ehe uns der nächste wichtige Entwicklungsschritt gelingt.

Vor kaum zehntausend Jahren erst haben wir begonnen, die Biosphäre der Erde zu verändern. Zunächst noch zaghaft und langsam, dann aber immer schneller und schneller. Ebenso hielten wir es mit unserer Vermehrung:

8000 v. Chr. zählte die Weltbevölkerung noch harmlose 5 bis 8 Millionen Menschen. 2000 n. Chr. haben wird die 6 Milliarden-Grenze überschritten. Umweltveränderung und Vermehrung – darin haben wir es beängstigend weit gebracht!

Für die Evolution sind zehntausend Jahre normalerweise eine unbedeutend kurze Zeitspanne. Etwa siebenhundert Mal so lange haben wir zuvor von dem gelebt, was wir in der Natur vorfanden, von Wurzeln, Beeren, Früchten, Nüssen, Körnern, von Jagdbeute und Kadavern.

Ein erstaunliches Produkt unseres Geistes hat unsere Entwicklung jedoch stark beschleunigt, nämlich unsere Sprache.

Mit der Sprache haben wir Menschen unsere jüngere Entwicklung sogar weitgehend selbst bestimmt und gelenkt. Mit ihr sind wir in der Lage, Fähigkeiten nicht mehr nur mittels unserer Gene auf unsere direkten Nachkommen zu übertragen; mit der Sprache – besonders mit ihrer Schriftform – verfügen wir gewissermaßen über eine außerkörperliche DNS, grenzenlos übertragbar und für jedermann beliebig nutzbar. Immer mehr Informationen können immer schneller an einen immer größeren Personenkreis weitergegeben werden.

Mit entsprechend rasch wachsender Geschwindigkeit schreitet heute unsere Entwicklung voran. Sie tut dies aber nicht gleichförmig, nicht stetig; eine sozial bedeutsame neue Erkenntnis kann durchaus zu einem plötzlichen Entwicklungssprung führen – aber dazu später mehr ...

Nach Jahren gemessen haben wir Menschen während nahezu unserer gesamten Entwicklungszeit gesammelt und gejagt.

Wer darin geschickt war, wer sich den rauen Gegebenheiten der Natur anzupassen wusste, der konnte überleben und seine Anlagen an die nächste Generation weitergeben. So wurden wir langsam erfolgreicher auf der Jagd, bei der Suche nach Essbarem, im Kampf und beim Auffinden geeigneter Rastplätze und Jagdreviere. Wir lernten das Feuer zu nutzen und konnten aus den sonnig-warmen Savannen Ostafrikas zu neuen Jagdgründen und sogar in kältere Zonen der Erde ausschwärmen. Aber stets blieben wir im Einklang mit der Natur.

Die jeweils von uns nutzbare Menge an Beutetieren und essbaren Pflanzenprodukten begrenzte und regelte unsere Anzahl und regionale Bevölkerungsdichte. Auch der listigste Bärentöter, die flinkste Beerensammlerin war in diesen Regelkreis eingebunden.

Alles wurde jedoch ganz anders, als wir Ackerbau und Viehhaltung entdeckten.

Bis dahin gab es – entsprechend unserem nutzbaren Nahrungsangebot – kaum mehr als acht Millionen Menschen auf der Erde. Sie lebten in kleinen Gruppen an wechselnden Orten, immer auf der Fährte der Wildtierherden oder an nahrungsreichen Küsten und Ufern, immer auf der Suche nach Jagdbeute, Früchten und Wurzeln.

Vor neun- bis zehntausend Jahren begannen nun unsere Vorfahren Pflanzen anzubauen, deren Samen essbar waren. (Das waren die Wildformen späterer Zuchtgetreide wie Emmer, Einkorn, Hafer, Weizen und Gerste, aber auch schon Hülsenfrüchte wie Linsen und Kichererbsen.)

Sie fingen also an, Nahrung selbst zu produzieren. Zufällig und sporadisch wohl zunächst, aber als der Nutzen immer offensichtlicher wurde, ernteten sie bald so viel, dass Vorräte für kommende Zeiten angelegt werden konnten. Das war eine umwälzende Neuerung: Endlich war es gelungen, die lebensbedrohende Abhängigkeit vom zufälligen Aufspüren von Nahrung zu überwinden.

Jetzt konnte Schluss gemacht werden mit dem rastlosen und für die Frauen mit ihren Kleinkindern so beschwerlichen Umherschweifen. Es wurden feste Behausungen gebaut und mit Einrichtungen, Töpfen, Körben und Geräten ausgestattet. Das stellte an die Geschicklichkeit dieser ersten Siedler ganz neue Herausforderungen. Viel mehr Menschen als je zuvor konnten jetzt an einem Ort zusammenleben, sich gegenseitig helfen und schützen – und alle konnten satt werden, wenn die Ernte gut war. Auch Tiere wurden jetzt gezähmt. Dem Hund als hilfreichem Gefährten der Jäger folgten nun Schafe und Ziegen, Schweine, Rinder, Pferde und Esel.

Diese revolutionäre Neuorientierung hatte jedoch eine sehr negative Folge:

Mit der Landbewirtschaftung durchbrach und zerstörte der Mensch seine bis dahin steuernde Verbindung mit der Natur.

Von nun an war er imstande, sich seinen Lebensraum nach eigenen Bedürfnissen umzugestalten. Er rodete Wälder und legte Sümpfe trocken, um Ackerland und Weiden anzulegen und um Brennmaterial und Bauholz zu gewinnen. – Und noch fataler: Mit der von ihm fortan selbst gesteuerten Nahrungsproduktion konnte sich der Mensch nun sehr viel schneller vermehren.

Abhängig von der Bevölkerungsdichte und dem wachsenden Wohlstand nimmt jedoch auch die Naturzerstörung zu. Eine Fehlerspirale, die in ihrer destruktiven Dynamik heute beängstigende Ausmaße erreicht hat. Allein im gerade beendeten 20. Jahrhundert ist unsere Zahl von ca. 1,7 auf über 6 Milliarden hochgeschnellt. Nach einer vorsichtigen Prog-nose von UNO-Experten werden wir bereits 2050 die 10 Milliarden-Grenze überschreiten, wenn wir uns nicht bremsen.

Wenn die Population einer Art von Lebewesen auf diesem Planeten für andere Tiere und Pflanzen störend groß wird, dann werden zunehmend Regelmechanismen wirksam, die diese Störung bekämpfen, bis wieder eine Balance erreicht worden ist.

Es stellen sich beispielsweise zunehmend Krankheiten ein, die Nahrung wird zu knapp oder Fressfeinde nehmen bei überreichlichem Nahrungsangebot stark zu und sorgen so für Reduzierung ihrer Beute.

Auch wir sind Teil dieses biologischen Systems, und Krankheiten wie Virus-Pandemien oder Nahrungsmangel können als Regulativ gegen unsere Überbevölkerung durchaus Wirkung haben. Noch viel schneller und radikaler kann uns jedoch ein anderer Regelmechanismus treffen: Wir müssen nämlich befürchten, schon bald so viel auf unserer Erde geplündert, verschmutzt und zerstört zu haben, dass wir in unserem eigenen Dreck und in der von uns angerichteten Verwüstung umkommen werden.

Eine von uns selbst betriebene, eine eigenhändige Eliminierung also, einem letzen Weltkrieg vergleichbar – zwar weniger abrupt, aber genauso unumkehrbar.

Aber wir Menschen sind jung (entwicklungsge-schichtlich) und leistungsfähig (dank unseres Verstandes), und wir beginnen erst damit, unser Entwicklungspotenzial auszuschöpfen. Hier liegt die bessere Alternative für unsere Zukunft.

Wir erkennen längst, dass wir eingebunden sind in die Welt, in der wir leben. Wir wissen, dass uns vielfach schaden wird, was immer wir hier zerstören.

Umgekehrt nützt allen Bewohnern dieses Planeten, was immer wir noch retten und schützen können in diesem altbewährten, komplexen Verbundsystem von Regelkreisen, das wir »Natur« nennen.

Bedrückend deutlich ist uns heute bewusst, dass wir vieles falsch machen, ja, dass wir im Begriff sind, eine große Zahl nicht mehr rückgängig zu machender Schäden anzurichten. Wir wissen es schon, aber wir haben noch nicht gelernt, unser falsches Verhalten zu korrigieren.

Warum ist das so?

Wie steuern wir überhaupt heute unsere Handlungen?

Was müssen wir an unserer Verhaltensorientierung ändern, um in der Zukunft das Leben auf der Erde bewahren zu können? Das sind Fragen, die uns im Folgenden beschäftigen werden.

Und ihre Beantwortung ist die Chance, unserem destruktiven Dasein doch noch eine konstruktive Richtung zu geben.

Vor zehntausend Jahren fingen wir an, die Welt unseren kurzsichtigen Bedürfnissen entsprechend zu verändern. Heute haben wir damit längst die Grenzen dessen überschritten, was wir zukünftigen Lebewesen zumuten dürfen.

Jetzt sind wir es selbst, die wir ändern müssen! Von einer Veränderung unserer Umwelt zu einer Änderung unseres eigenen Verhaltens – das ist der konsequente Schritt weiter in unserer Entwicklung. Nur ein Schritt, nicht einmal ein allzu großer, aber doch ein entscheidender Fortschritt!

»In nature there are neither rewards nor punishments; there are only consequences.«

Robert G. Ingersoll

Unsere drei Hauptprobleme

Von meinem Schreibtisch aus schaue ich durch das Fenster über eine leicht abfallende, mit großen, alten Eichen und Eschen locker bestandene Pferdeweide auf weitläufige Wiesen bis hinunter zu den hellen Wasserspiegeln mehrerer Teiche. Hecken, Büsche und kleine Laubgehölze umsäumen die Wiesenflächen.

Von der entfernten Waldkulisse zeichnen sich die dunklen Kronen hoher Kiefern und Fichten scharf gegen den rötlichen Abendhimmel ab.

Es ist schön hier draußen auf dem Lande und friedlich, aber so heil, wie sie zunächst scheinen mag, ist auch diese Welt vor meinem Fenster nicht mehr. Die ausladenden Kronen vieler freistehender Eichen werden von Jahr zu Jahr lückenhafter und durchsichtiger, wie jährlich gemachte Vergleichsfotos deutlich zeigen. Auch die Buchen, Fichten und Kiefern haben zunehmend Blatt- und Nadelschäden.

Sie werden sicherlich mit mir der Meinung sein, dass wir es uns nicht leisten sollten, wirksame Maßnahmen gegen weitere Belastungen unseres Lebensraumes zu unterlassen.

Wann immer wir unsere Umwelt verändern, ausbeuten, oder mit Abfällen verschmutzen, richten wir Schäden an.

Und wir sollten nicht so vermessen sein, uns einzubilden, dass wir heute schon auch nur annähernd überblicken, was wir alles kaputtmachen, wenn wir in die Balance natürlicher Regelsysteme eingreifen.

Ebenso wie wir es heute am Wald beobachten, werden negative Auswirkungen unserer Umweltverschmutzung und Ausbeutung auf den Boden, das Grundwasser, die Flüsse, Seen und Meere und auf die Atmosphäre möglicherweise nicht mehr umkehrbar sein.

Heute fehlen uns also noch das Wissen und vielleicht auch die Sensibilität, um uns alle Auswirkungen unserer Taten auf Pflanzen, Tiere und Menschen vorstellen zu können.

Besser erkennbar wird diese schleichende Selbstvernichtung, die wir mit der Zerstörung unseres Lebensraumes betreiben, erst dann, wenn bei uns Leidensdruck entsteht – wenn wir also direkt und unausweichlich die Folgen unseres Fehlverhaltens schmerzhaft zu spüren bekommen.

Das ist freilich ein sehr später Zeitpunkt, um noch wirksame Abhilfe schaffen zu können.

Heute wenden wir uns am liebsten resignierend ab. Diese Kassandrarufe, dieses Katastrophen-Herbeigerede deprimiert uns mehr, als dass es bisher eine Wende zum Besseren herbeizuführen vermochte.

Und dann:

Es gibt ja auch Entwicklungen, die in ihren vorhersehbaren Auswirkungen noch viel erschreckender sind ...

Unser allergrößtes Problem ist der ungehemmte und progressiv beschleunigte Bevölkerungszuwachs auf der Erde.

Wir Menschen schädigen bedauerlicherweise mit unserer bloßen Existenz die Lebensbedingungen auf diesem Planeten.

Je zahlreicher wir werden und je mehr Konsum und Wohlstand wir uns leisten, desto größer ist nun mal der von uns angerichtete Schaden.

Angesichts dieser bedrückenden Tatsache kommen wir uns nicht mehr so toll vor, wenn wir nur die Heizung drosseln, Plastikabfälle von kompostierbarem Müll trennen oder mal die Bahn oder das Fahrrad statt des Autos benutzen.

Inhumane Zyniker meinen in unseren Kriegen eine Abhilfe zu sehen. Gibt es eine perversere Vorstellung?

Um unsere Anzahl heute konstant zu halten, müssten unsere Krieger Tag für Tag mehr als 230.000 Menschen töten!

Welch ein Berg von Leichen jeden Tag!

Wer eine humane Regelung menschlichen Miteinanderlebens dringend wünscht, der weiß ohnehin: Das planmäßige Töten und Verletzen von Menschen in Kriegen ist das markanteste Beispiel für kollektives menschliches Fehlverhalten überhaupt.

Grausameres und Dümmeres ist nicht vorstellbar.

Trotzdem gibt es immer noch keinen wirksamen Widerstand gegen Kriege.

Und das Konfliktpotential steigt rasch mit zunehmender Bevölkerungsdichte und mit Vergrößerung der Kluft zwischen Arm und Reich. Auch die fortschreitende Waffentechnik macht das Töten immer leichter und wirkungsvoller. Zudem ist es nach dem Zerfall des Ostblocks für die Oberhäupter auch kleiner Staaten einfach geworden, an waffentaugliches Uran und Plutonium und an die Fachleute zu kommen, die Atombomben bauen können, so dass auch der Einsatz dieser Waffen immer wahrscheinlicher wird.

Persönliche Vorteile erlangen nur sehr wenige, skrupellose Individuen von der Vorbereitung und Durchführung von Kriegen, unter ihnen zu leiden haben dagegen unzählige Menschen, besonders natürlich die nicht aktiv beteiligten Kinder und Frauen. Indirekt aber leiden wir alle darunter, denn dieses immense, für Vernichtung und Zerstörung missbrauchte menschliche Leistungspotential könnte selbstverständlich auch zum Vorteil der Menschen eingesetzt werden, statt gezielt zu ihrem Nachteil.

Warum also korrigieren wir hier nicht unser falsches Verhalten? – Die Antwort ist längst bekannt und vermag uns doch nicht unmittelbar weiterzuhelfen:

Bedauerlicherweise haben wir bis heute nämlich noch nicht gelernt, unser soziales Verhalten autonom, also selbständig denkend zu steuern. Wir richten uns statt dessen nach sozialen Normen, wir machen das, was »man« tut, was üblich ist, was andere von uns erwarten; wir fühlen uns

*dann wohl, wenn wir uns im Einklang mit über-
kommenen und anerzogenen Regeln und Klischees wähnen, wir fühlen uns an Verhaltensweisen gebunden, die uns im Laufe unseres Lebens
so vertraut geworden sind, dass wir sie für selbstverständlich, für normal und sogar für allge-
meinverbindlich halten.*

Solche allgemein akzeptierten »Gewissheiten« dienen unserer Verhaltungsorientierung.

Wir geben sie nicht gern auf – schon gar nicht,
solange keine besseren Alternativen angeboten
werden.

Das gilt leider auch für unsere Kriege, für ihre
politische und wirtschaftliche Vorbereitung, für
die Ausbildung der jungen Männer zu »Soldaten« und für unsere Bereitwilligkeit, Kriege als
ein »unvermeidliches Übel« anzusehen.

Immerhin ist ein gewisses Unbehagen darüber
heute bei vielen Menschen durchaus schon vorhanden. Zwar basteln wir stur und emsig immer
wirksamere Waffen zusammen, zwar schulen wir
immer mehr junge Männer in der Fähigkeit, ihre
Mitmenschen zu töten, aber das Unbehagen darüber treibt uns schon dazu, uns mit einer ge-
schönten Wortwahl zu belügen:

Für Krieg gebrauchen wir heute lieber das ver-
harmlosende Wort »Verteidigungsfall«. Indem
wir den so umgetauften Krieg vorbereiten tun
wir zudem so, als sei er gar nicht Folge unserer
Handlungen, sondern so etwas wie ein völlig un-
beeinflussbarer, passiv hinzunehmender Schick-
salsschlag.

So werden unsere Kriegsvorbereitungen dann verbal zurechtgebogen, verschleiert und abgeschwächt zu »unserem Bemühen, uns auf einen Verteidigungsfall vorzubereiten«.

Hört sich gleich viel besser an, nicht wahr?

Aber Auswirkung hat leider allein das, was wir tun, nicht das, was wir uns vorlügen. Da hilft kein Wenn und Aber.

Genauso gut könnten wir eine Atombombenexplosion über einer Großstadt als »Flurbereinigung« verkaufen wollen, das verändert ihre Wirkung auch nicht.

Kurzum: Unsere Kriege machen wir selbst – nach wie vor.

Unaufrichtiges Herumgeschwafel wird diese Tatsache niemals ändern.

Denken wir also darüber nach, was wir tun müssen, um unser destruktives Verhalten zu korrigieren.

»Dieses haben unsere Vorfahren aus gutem Grunde so geordnet, und wir stellen es aus gutem Grunde nun wieder ab.«   Georg Christoph Lichtenberg

Über die Lenkung unseres sozialen Verhaltens

Als junger Student hatte ich durchaus eigene Ansichten zu bestimmten politischen Fragen. Zugleich aber hatte ich Respekt vor den Urteilen und Maßnahmen professioneller Politiker, weil ich diese schlicht für kompetenter hielt als mich selbst.

Vielleicht geht es Ihnen ähnlich.

Aber das ist falsch.

Wir unterstellen dabei nämlich, dass diese »kompetenten Fachleute« sich ihre Urteile und Entscheidungen durch objektive Auswertung eindeutiger und überprüfbarer Sachverhalte erarbeiten.

Aber das trifft leider nicht zu.

Vielmehr übernehmen wir alle (nicht nur die Politiker) im Laufe unserer Erziehung vorgegebene Klischees, immer wieder weitergegebene Leitvorstellungen und Denkmuster, die oft uralt und zum Teil längst anachronistisch geworden sind, nur ist uns dies heute oft noch nicht hinreichend bewusst.

Das gilt auch für den Bereich der Politik, den wir so ungenau und bagatellisierend als »Verteidigungspolitik« zu bezeichnen pflegen.

Wer nicht ganz gedankenlos und unempfindsam ist, hat zumindest eine vage Vorahnung davon, wie gefährlich, unzeitgemäß und unlogisch unsere Bemühungen sind, uns vor uns selbst damit schützen zu wollen, dass wir unsere Fähigkeiten, uns gegenseitig zu töten, noch immer weiter »verbessern«.

Über eine lange Zeit hinweg war es unter verschiedenen und unterschiedlichen Gruppen von Menschen üblich, sich zu bekämpfen. Für die Sieger ergaben sich oft Vorteile, deshalb war es plausibel, sich zu bewaffnen und auch Schutzvorkehrungen zu treffen.

Das hat sich aber objektiv schon lange geändert, nämlich seit die negativen Folgen eines Krieges für die betroffenen Menschen unendlich viel schwerwiegender geworden sind als der erreichbare Nutzen.

Dieser objektive Sachverhalt widerspricht jedoch unseren anerzogenen Leitvorstellungen: Zu einer »richtigen Politik« gehört danach eben auch eine »ordentliche Verteidigungspolitik«.

Wir schaffen uns nun einen inneren Konflikt, wenn wir uns einerseits an den Vorbereitungen bewaffneter Auseinandersetzungen beteiligen, indem wir beispielsweise Steuern dafür zahlen, andererseits aber diese Kriegsvorbereitungen ablehnen.

Zwei Wege gibt es, diesen Konflikt zu lösen:

Wir könnten zu unserer friedliebenden Einstellung stehen und unser Verhalten entsprechend ausrichten, also die Zahlung von missbrauchten

Steuergeldern verweigern. Auf diese Weise würden wir uns freilich massive Unannehmlichkeiten einhandeln, während der Nutzen der Aktion wohl vergleichsweise gering wäre (wenn wir dies im Alleingang versuchten). Statt unser Verhalten zu korrigieren, könnten wir aber auch unsere Einstellung ändern: Wir könnten uns einreden, dass die Teilnahme an Kriegen nach wie vor erforderlich, opportun oder ehrenhaft sei.

Aber allzu viele Menschen gibt es heute nicht mehr, die hinreichend unaufrichtig oder unreflektiert sind, sich selbst so krass zu belügen.

Deshalb pflegen wir einen lauen Zwischenweg zu wählen:

Wir tun gar nichts, weichen einer ehrlichen Auseinandersetzung mit unserem Fehlverhalten aus – und fühlen uns unwohl ...

Trotz unserer zaghaften Zweifel bleibt also doch folgendes Resümee: *Unser soziales Verhalten wird noch nicht von uns selbst gesteuert, sondern es wird von außen vorgegeben.*

Auch wenn es nicht sehr schmeichelhaft für uns ist:

Wir tun gegenwärtig noch immer das, was »man« tut, was »sich gehört«, was »in« ist – eigenständiges Denken hat hier noch keinen Platz.

Diese außengeleitete Form unserer sozialen Verhaltenssteuerung gründet sich auf Normen und Wertungen, die in einer längst vergangenen Zeit unter ganz anderen Lebensbedingungen geschaffen wurden und von denen viele dringend modernisiert werden müssten.

Aber auch eine zeitgemäße Neuformulierung sozialer Normen würde einen grundsätzlichen Nachteil nicht beheben: *Ein Verhalten, das nicht von und selbst bestimmt und gelenkt wird, sondern direkt oder indirekt von anderen, ist somit zugleich unserer eigenen Kontrolle entzogen.* Wenn wir jedoch den geistigen Spielraum hätten, unsere Normen kritisch zu prüfen, dann würden sie mit dieser Infragestellung zugleich ihre Verbindlichkeit für uns verlieren. Unverbindliche Regeln und Gesetze sind jedoch keine brauchbaren Verhaltensorientierungen mehr.

Das heißt: *Schon mit ihrer ernsthaften Infragestellung ist jede Verhaltensnorm für uns wertlos und damit entbehrlich geworden.*

Wir müssen also von der Berechtigung unserer sozialen Normen von vornherein überzeugt sein. Sobald wird die Richtigkeit einer Verhaltensdirektive anzweifeln, entwerten wir sie zwangsläufig.

Sind wir aber von der Verbindlichkeit einer Verhaltensnorm überzeugt, tun wir also brav das, was diese Direktive vorschreibt, ohne sie kritisch zu prüfen, dann muss das Ergebnis unserer Tätigkeit für uns selbst zufällig, überraschend und damit unbeabsichtigt eintreten. So wird der von uns selbst gemachte Krieg tatsächlich zu einer nicht beabsichtigten und überraschenden Katastrophe.

Wenn wir zielgerichtet denkend handeln wollen, wenn wir unsere Kriege abschaffen wollen, wenn wir unseren Lebensraum wirksam schützen wollen, wenn wir schließlich unseren Kindern und

Enkeln ein lebenswertes Dasein ermöglichen wollen, dann können wir uns keine Verhaltensdirektiven mehr leisten.

Es bleibt also kein anderer Weg: Wir müssen lernen, die Auswirkungen dessen, was wir tun, selbst sorgfältig zu überdenken, vorauszuplanen und mit voller Absicht zu erarbeiten.

Das erfordert Mut und Fleiß, denn wer etwas ganz Neues wagt, der muss mit Schwierigkeiten und Fehlern rechnen, und er muss bereit sein, diese neue Form der Orientierung zu üben. Aber wir werden bald erkennen, dass sich die Mühe lohnt, und mehr noch: Wir werden zunehmend erfahren, dass diese neue, autonome Verhaltensorientierung so große Vorteile gegenüber der traditionellen normengeleiteten Orientierung hat, dass eine Rückkehr zu dieser alten Form immer undenkbarer wird.

Wir haben festgestellt: unser soziales Verhalten wird gegenwärtig noch nicht von uns selbst denkend gelenkt, sondern es wird von tradierten Normen und Wertungen oder von den Verhaltenserwartungen anderer Personen gesteuert.

Unser »soziales« Verhalten bezieht sich auf uns selbst und unsere Mitmenschen – es ist »subjektbezogen«.

Wenn wir dagegen ein Haus bauen, einen Acker bestellen, eine Maschine reparieren, dann richtet sich unsere Tätigkeit auf Objekte, auf Dinge, auf Sachen. Unser Verhalten ist hier »objektbezogen«.

Klassische Bereiche für dieses objektbezogene

Denken und Handeln sind die Naturwissenschaften und unsere technischen Tätigkeitsbereiche; aber auch im täglichen Leben sind es ja oft sachliche Aufgaben, die wir zu erledigen haben.

In diesem objektbezogenen Bereich unserer Handlungen fällt es uns Menschen längst leicht zielorientiert zu denken und zu handeln, deshalb sind wir hier so erfolgreich.

Wir können Häuser und Städte bauen, Gebrauchsgegenstände und Nahrungsmittel produzieren, wir können mit unseren Verkehrsmitteln jeden Ort auf der Welt in kurzer Zeit erreichen und sogar den Mond besuchen.

Konsum- und Arzneimittel, Autos, Flugzeuge, Computer sind Objekte. Keine Tradition, keine Voreingenommenheit hindert uns daran diese Objekte zu erfinden, zu konstruieren und zu bauen – allein das klar definierte Ziel bestimmt und lenkt unsere Handlungen.

Wenn wir jetzt auch lernen, dieses wertneutrale, zielorientierte Denken und Handeln auf den Bereich subjektbezogenen Verhaltens auszudehnen, dann gehen wir lediglich einen Schritt weiter in unserer geistigen Entwicklung – eine Konsequenz, die bereits durch unseren bisherigen Werdegang vorgezeichnet ist.

Einige Personen werden sich diese neue Fähigkeit schneller aneignen als andere. Das dürfte einerseits von unserer unterschiedlichen Ausbildung und Lernfähigkeit abhängen, anderseits aber auch davon, wie schnell uns diese neuen Kenntnisse zugänglich gemacht werden.

(Sie besitzen hier einen Vorteil, den Sie nutzen sollten!)

In den folgenden Abschnitten dieses Buches werden wir uns also mit einer neuen Orientierungsform beschäftigen.

Aber die besteht eigentlich nur darin, eine bereits bekannte Methode, zu denken und zu handeln auf einen Bereich unseres Verhaltens auszudehnen, in dem wir diese Orientierungsform bisher noch nicht konsequent anwenden.

Ich werde dazu Beispiele geben, Definitionen vorschlagen und einige Wirkungszusammenhänge darstellen.

Aber ich will auch Ihre Kritik herausfordern und Sie zur Fehlersuche ermutigen, denn nur mit einer kritischen Einstellung und strengen Prüfung werden Sie wirklich Zugang zu dieser neuen Denkweise finden.

»Information ist nur, was verstanden wird.«

Carl Friedrich von Weizsäcker

Die Sprache als Transportmittel für Gedanken und Gefühle

Auf eine didaktische Erschwernis möchte ich Sie kurz hinweisen:
Die einzelnen Abschnitte dieser Schrift wurden ursprünglich als Briefe konzipiert. Die Leser hatten also – im Gegensatz zu Ihnen – Zeit und Gelegenheit, sich mit dem Inhalt der Briefe auseinanderzusetzen, sie kritisch zu beurteilen und Zustimmung, Zweifel oder Widerspruch zu äußern (Das war für diese Arbeit sehr hilfreich).
Gewöhnlich pflegen wir Publikationen zu Themen, die uns interessieren, zügig durchzulesen. Dabei werden neue Informationen leicht in unser vorhandenes Wissen eingefügt, wenn sie widerspruchslos und ergänzend hineinpassen. (Darüber hinaus suchen wir nach Bestätigung unserer Meinungen und Einstellungen.) Einander widersprechende Nachrichten lehnen wir jedoch ab, weil wir uns folgerichtig dagegen wehren, gegensätzliche Inhalte in unserem Gehirn zu speichern. Ein bequemer, schneller, ökonomischer Ablauf – aber leider in diesem Fall nicht anwendbar.
Grundlegend neue Erkenntnisse lassen sich nämlich nicht in unser vorhandenes Wissensgerüst integrieren – es fehlen gewissermaßen die

passenden Schubladen dazu, d. h. wir besitzen noch keine Zuordnungsmöglichkeit für dieses neue Wissen.

Es fällt uns erwachsenen Menschen darum sehr schwer, eine grundlegend neue Erkenntnis anzunehmen. Kinder und Jugendliche sind hier im Vorteil, weil sie nicht durch bereits vorhandene Vorstellungen blockiert sind.

Wir Älteren dagegen müssen uns intensiv und lange bemühen. Wenn es uns jedoch gelingt, Zugang zu einer uns direkt betreffenden Innovation zu finden, dann vollzieht sich zugleich in uns eine Umschichtung und Neuordnung unseres bisherigen Wissens.

Ein tief greifender und komplexer Prozess also, der in uns abläuft und der eine gewisse Zeit in Anspruch nimmt.

Vielleicht ist es für Sie nützlich, darüber – wenn auch zunächst nur theoretisch – Bescheid zu wissen.

Aber zurück zu unserem Thema:

Unser soziales Verhalten wird also nicht von uns selbst bestimmt, sondern für uns unkontrollierbar von außen. Das hat große Nachteile, wie wir gesehen haben, und deshalb liegt es nahe, unsere Fähigkeit zu denken zukünftig auch auf diesen subjektbezogenen Bereich unserer Handlungen auszudehnen.

Mit »Denken« wollen wir hier die Fähigkeit unseres Gehirns bezeichnen, verfügbare Kenntnisse (Informationen) zielgerichtet auszuwerten.

Nichts Geheimnisvolles also – denken kann jeder,

der über Wissen verfügt und der eine klare Zielvorstellung hat. Eventuell fehlendes Wissen (fehlende Informationen) können wir uns aneignen.

Wie das vor sich geht und wie wir falsche und unbrauchbare Informationen erkennen und aussortieren können, dies ist verständlicherweise eine sehr wichtige Frage, denn ohne Wissen oder mit falschen Informationen nützt uns unser Denkvermögen wenig.

Zur Beantwortung werden wir jetzt einen kleinen Bogen machen:

Unsere Sinne sind vornehmlich nach außen gerichtet, auf das, was uns umgibt.

Uns selbst beginnen wir erst langsam zu erkennen – und noch tun wir uns recht schwer damit.

Aber das, was wir erst einmal über uns herausgefunden haben, können wir speichern (erlernen) und an andere Menschen weitergeben.

Das heißt, wir können unser Wissen über uns ständig vergrößern, wir können lernen, uns unserer selbst in immer höherem Maße bewusst zu werden, wir können lernend unser Bewusstsein erweitern.

Wenn wir komplexe Kenntnisse an andere weitergeben, dann tun wir das mit Hilfe der Sprache.

Dieser verbale Austausch von Informationen zwischen Individuen wird bisher oft noch unreflektiert und fehlerhaft vorgenommen – deshalb ein paar grundsätzliche Hinweise:

Das, was Sie denken und empfinden, ist unlösbar mit Ihnen verbunden, ist untrennbar auf Sie allein begrenzt.

Es ist Ihnen also nicht möglich, Ihre Gedanken und Gefühle auf andere Mitmenschen zu übertragen!

Und mir und jeder anderen Person geht es natürlich ebenso, unabhängig davon, ob wir uns nun dieses misslichen Umstandes bewusst sind oder nicht.

(Die meisten Menschen wissen es heute noch nicht.)

Wollen Sie einem anderen Menschen mitteilen, was Sie bewegt, dann ist das also komplizierter als wir gemeinhin unterstellen:

Ihr Gesprächspartner vermag nicht Ihre Gedanken und Empfindungen wahrzunehmen – was er allein wahrnehmen kann, ist Ihr Verhalten.

So kommen Sie nicht umhin, Ihre geistigen Regungen mittelbar über entsprechende Mimik, Gesten und verbale Äußerungen für den Gesprächspartner erkennbar zu machen.

Und dann liegt es noch an dieser von Ihnen angesprochenen Person, Ihr Verhalten aufmerksam zu registrieren und auch richtig zu interpretieren. – Das wiederum kann der Gesprächspartner nur im Spiegel seiner eigenen Kenntnisse und Erfahrungen tun – und darin unterscheidet er sich zwangsläufig von Ihnen.

Eine umständliche Prozedur also, aber direkter und einfacher geht es nicht.

Auch der Gebrauch der Sprache ist subjektbezogenes, genormtes Verhalten und bedarf deshalb einer besonders kritischen Prüfung.

Beim Sprechen und Schreiben, beim Zuhören

und Lesen sind Wörter und Sätze nur die Transportmittel für unsere Gedanken und Gefühle:
Während ich Ihnen schreibe, bemühe ich mich, eine für Sie passende »verbale Verpackung« für das zu finden, was ich Ihnen mitteilen möchte. Und wenn Sie diese Sätze jetzt lesen, versuchen Sie Ihrerseits, diese Verpackung wieder zu öffnen, d.h. meine Formulierungen zu verstehen.

Kurzum: der Sender von Informationen gebraucht für deren Weiterleitung einen bestimmten Code (hier verbale Fixierungen), und der Informationsempfänger gelangt erst nach Aufschlüsselung dieses Codes (der verwendeten Wörter und Sätze) wieder zur Information selbst (zum erkennbaren Inhalt dieses »verbalen Transportpaketes«).

Unsere Fähigkeit, Nachrichten zu empfangen und an andere zu übermitteln, funktioniert verständlicherweise zuverlässiger, wenn wir dies wissen und ständig aufmerksam berücksichtigen.

Auch die Kenntnis eines anderen Sachverhalts sollte Ihnen stets bewusst sein:

Aktivitäten selbstständig entfalten, fühlen, denken und sich entsprechend äußern, dass ist etwas, was allein lebende Individuen vollbringen können. Keine menschliche Konstruktion, keine von uns geschaffene Einrichtung vermag das. Keine »Regierung« kann verhandeln, entscheiden, beschließen, keine »Partei« kann Programme aufstellen und Überzeugungen proklamieren, kein »Staat«, kein »Militärbündnis« kann einen Krieg (alias Verteidigung) planen, vorbereiten und in Gang setzten – all das können nur Menschen machen.

Unsere Institutionen und Organisationsformen sind nun mal keine Lebewesen. Und diese Einrichtungen werden auch dadurch nicht lebendig, dass wir ihnen dauernd Eigenschaften von Lebewesen zuschreiben.

Wenn Sie darauf achten, werden Ihnen unsere Nachrichtensendungen, Kommentare und Reden in den Medien wie groteske Märchen vorkommen. Da werden mit unreflektierter Selbstverständlichkeit Dinge zum Leben erweckt, die unsere mit Geistern und Drachen, mit Hexen, Göttern und Teufeln erfüllten Kindheitsphantasien leicht in den Schatten stellen – nur ist das unseren Märchenerzählern von heute noch nicht hinreichend bewusst.

Die Fähigkeit zu empfinden und zu denken ist also unablösbar auf einzelne lebende Menschen begrenzt. Kollektivgefühle gibt es nicht und kann es nie geben! Jeder einzelne Mensch lebt eingeschlossen in seiner eigenen, einmaligen Vorstellungswelt, individuell geprägt durch seine genetische Ausstattung und seine persönlichen Lebenserfahrungen. (Es gibt zwar mit den eineiigen Zwillingen genetische Duplikate, aber für diese Kombination gibt es keine Kopien.)

Weiter:

Was Sie empfinden und denken, können Sie anderen Menschen nie direkt, sondern nur auf dem Umweg über ein entsprechendes Verhalten mitteilen. Und der Erfolg dieser Bemühungen hängt zunächst von Ihrer Fähigkeit ab, Ihre geistigen Regungen präzise auszudrücken, zu artikulieren. Dann aber auch von der Fähigkeit der angesprochenen Person, diese Formulierungen wieder sorgfältig aufzuschlüsseln, um schließlich deren informativen Gehalt erkennen zu können.

Sie werden sich selbst Beispiele suchen und herumexperimentieren müssen, um sich das alles deutlich bewusst zu machen.

Gewöhnen Sie sich ruhig an, sich selbst zu beobachten und daraufhin zu kontrollieren, ob Sie sich hinreichend unmissverständlich ausdrücken.

Wenn Sie sich erst ihrer Wortfindungs- und Artikulierungsschwierigkeiten bewusst werden, dann sind Sie allein damit schon vielen Ihrer Zeitgenossen um große Schritte voraus.

Bewahren Sie sich dieses Bild:

Sie leben mit Ihren Empfindungen, Ihren Gedanken, Wünschen und Ängsten wie auf einer einsamen Insel. Die Verständigung mit anderen ist Ihnen nur indirekt, nur mit Hilfsmitteln und über Umwege möglich, die Sie überlegt auswählen sollten.

»Was sich überhaupt sagen lässt, lässt sich klar sagen; und wovon man nicht reden kann, darüber muss man schweigen.«   Ludwig Wittgenstein

Über gutes und schlechtes, falsches und richtiges Verhalten

Noch einmal zurück zu unseren geistigen Regungen, die ich vereinfachend Empfindungen und Gedanken nenne, und zu unserem Verhalten:

Wie Ihr Gehirn allein Ihnen gehört, ist natürlich auch das, was sich da in Ihrem Gehirn abspielt, untrennbar auf Sie begrenzt.

Ein kleiner Teil dieser mentalen Vorgänge ist Ihrer Reflexion, Ihrem Bewusstsein zugänglich.

Sie können die Temperatur, die Stärke und Richtung des Frühlingswindes auf Ihrer Gesichtshaut fühlen und bewusst registrieren. Und Sie können diese komplexe Empfindung auch bewerten: Sie stufen den Wind als kalt, warm, störend oder angenehm ein.

Andere Menschen machen das auch, aber sie tun es nicht in gleicher Weise: Ein wettergehärteter Seemann oder Bauer hält diesen für ihn alltäglichen Hautreiz vermutlich für weniger bemerkenswert als ein sensibles Stadtmädchen.

Er bewertet ihn wohl auch nicht so leicht als störend kühl wie der Büroangestellte, der schnell mal ohne Mantel zum Mittagessen sein vollklimatisiertes Gehäuse verlässt. Eine Schulklasse, also eine Gruppe von Schulkindern an der Bushaltestelle, wird den Wind selbstverständlich nicht fühlen können, sondern nur die einzelnen Kinder – jedes für sich allein und in unterschiedlicher Weise.

»Klasse, Gemeinschaft, Kollektiv«, dies sind lediglich vage Sammelbezeichnungen für viele Menschen.

Sie sollten sich davor hüten, in ihnen eine Art Fabelwesen mit menschlichen Eigenschaften zu sehen.

Ein »Volk«, eine »Nation«, eine »Gesellschaft« kann im Gegensatz zu lebendigen menschlichen Individuen weder stolz, noch aggressiv oder ängstlich sein, weder fühlen und denken, noch handeln.

Das müssen Sie ganz klar erkennen!

Auch der Gebrauch der Sprache ist heute noch für die meisten Menschen ein genormtes Verhalten.

Aber wir wollen ja lernen, unser Verhalten denkend zu steuern, statt uns unreflektiert von Vorbildern leiten zu lassen. Statt also gedankenlos so daherzureden und zu schreiben, wie es allgemein üblich ist, sollten wir uns in Zukunft um eindeutige Definitionen der Wörter bemühen, die wir gebrauchen; und wenn dies nicht in befriedigender Weise gelingt, ist es allemal richtig, die Wörter nicht zu verwenden, deren Sinn wir nicht eindeutig bestimmen können.

Verzichten Sie einfach auf alle Wörter, deren informativen Gehalt Sie nicht zweifelsfrei ermitteln können!

Falsch ist dagegen, Wörter allein deshalb zu gebrauchen, weil andere Menschen dies auch tun. Damit geben wir nämlich unsere geistige Selbständigkeit auf. Und zugleich begeben wir uns in die geistige Abhängigkeit von Mitmenschen – die ihrerseits denselben Fehler machen wie wir ...

Gerade aus diesem Fehlerkreis aber müssen wir heraus!

Zwischen dem, was Menschen tun, und dem, was sie empfinden und denken, bestehen wechselseitige Abhängigkeiten. Sie verletzen sich beispielsweise einen Finger beim Einschlagen eines Nagels mit dem Hammer (ein nicht gerade geschicktes Verhalten). Das tut weh (eine schmerzhafte Empfindung). Vermutlich reagieren sie darauf spontan: Sie fluchen oder lutschen an dem lädierten Finger, und vielleicht überlegen Sie sich sogar, wie Sie sich künftig richtiger verhalten sollten, um eine Wiederholung dieser schmerzhaften Erfahrung zu vermeiden.

Sie denken ...

Weiterhin lösen wir mit unserem Verhalten oft bei anderen Personen Empfindungen, Gedanken und korrespondierende Verhaltensweisen aus:

Wenn sie einen Menschen, den Sie sehr lieb haben, umarmen und küssen, und wenn Ihre zärtliche Zuwendung dann erwidert wird, dann kann das für Sie etwas unbeschreiblich Beglückendes sein.

Vielleicht ist es auch sehr schön für den Menschen, den Sie lieben. Aber das können Sie nie mit absoluter Sicherheit wissen, sondern bestenfalls erhoffen und vermuten.

Ihre Vermutung können Sie auch nur dann festigen oder als unzutreffend erkennen, wenn Sie das Verhalten der geliebten Person sehr aufmerksam beobachten, um es möglichst exakt interpretieren zu können. Ein guter Grund also, sich seinen lieben Mitmenschen mit offenen Augen und konzentrierter Aufmerksamkeit zuzuwenden.

Die Empfindungen eines anderen Menschen exakt nachzuvollziehen, ist übrigens schon deshalb schwierig, weil das Verhaltensrepertoire, mit dem wir unseren Gefühlen Ausdruck verleihen, nur recht grob und undifferenziert ist. Was wir zu empfinden vermögen, ist weit vielschichtiger, intensiver, farbiger, filigraner als unsere Fähigkeiten, diese Gefühlswelt für andere darzustellen und damit wahrnehmbar zu machen.

Aber zurück zum Ausgangspunkt dieser Überlegungen:

Das Verhalten einzelner Personen kann bei anderen zu Reaktionen führen, zu Stimmungen, Bewertungen, Entscheidungen und wieder zu entsprechenden Verhaltensweisen. Solche Reaktionen unterliegen nicht immer unserer bewussten Kontrolle – besonders dann nicht, wenn die aktive Person die Absicht verfolgt, uns zu beeinflussen und wir die passive Rolle des Informationsempfängers einnehmen.

Der Werbefachmann macht davon Gebrauch, wenn er uns bestimmte Produkte aufschwatzen will, aber auch Politiker machen sich diese Orientierungsschwäche gern zunutze.

Die Methode ist simpel und für Kenner leicht zu

durchschauen: Der Beeinflussende nutzt die Abhängigkeit seiner Zielpersonen von ihren Mitmenschen und suggeriert ihnen vorgebliche Kollektivmeinungen und -wertungen.

Das kann beispielsweise die behauptete Notwendigkeit sein, Wäsche besonders weiß zu waschen oder ein Rüstungsprogramm zu finanzieren.

Solche Überzeugungsarbeit bedarf keinerlei überprüfbarer Argumente. Im Gegenteil – kritisches Denken würde hier empfindlich stören.

Ein Appell an vorgebliche Kollektivgefühle ist nämlich nur dann erfolgreich, wenn er widerspruchslos hingenommen wird.

Sie werden sich jetzt vielleicht nicht getroffen fühlen, schließlich sind Sie ja ein denkender Mensch und eindringlich durch unsere historischen Erfahrungen gewarnt.

Wer würde denn heute noch auf plumpe Propaganda und Bauernfängerei hereinfallen!

Tatsächlich überschätzen wir uns jedoch beträchtlich, wenn wir uns einbilden, aus den Fehlern unserer Eltern und Großeltern bereits die Konsequenzen gezogen zu haben. Bisher haben wir unsere Verhaltensorientierung leider noch nicht wesentlich verändert. In die Situation der Hurrapatrioten von damals versetzt, würden wir auch heute kaum kritischer, weitsichtiger und humaner reagieren können.

(Denken Sie auch z. B. an unsere Nachbarn im ehemaligen Jugoslawien oder in Irland, die auch nicht dümmer sind als wir.)

Wir beginnen zwar zaghaft, unsere Fehler zu erkennen, aber der wichtige Schritt zur Korrektur dieser Fehler liegt noch vor uns.

Sie werden das besser verstehen, wenn wir Ihren Werdegang von Ihrer Geburt an Revue passieren lassen: Da kam also zu den damals erst 3 bis 4 Milliarden Erdenbürgern (zwischen 1960 und 1975) noch ein Menschenkind auf diese Welt. So liebenswert, wie alle anderen auch, und so unfertig und unbeholfen, dass es noch lange Zeit auf die Hilfe älterer Mitmenschen angewiesen war.

Selbstverständlich haben Sie sich Ihren Lebensbereich, Ihre Umwelt nicht aussuchen können.

Ihr Geschlecht, Ihre Hautfarbe, Ihre Begabungen, Ihre familiäre und materielle Situation, aber auch die nationale Zugehörigkeit, die Staatsform, die Religion, das Land und die Zeit, in die Sie hineingeboren wurden – all das war für Sie unbeeinflussbar, also zufällig.

Ihre Lebensbedingungen hätten auch beliebig anders sein können, und wenn Sie in Gedanken eine Reise über unseren Planeten und durch die Menschheitsgeschichte machen, dann wird Ihnen vielleicht bewusst, dass es für Sie auch schlechter hätte kommen können.

Manche Leute neigen dazu, sich selbst für etwas Besonderes zu halten, aber natürlich wäre es dumm, sich diese Zufallsergebnisse als persönliches Verdienst anrechnen zu wollen.

Nun – da waren Sie jetzt also eingetroffen, zufällig in der zweiten Hälfte des 20. Jahrhunderts und zufällig in einem Land mit relativ guten Ausbildungsmöglichkeiten; und Sie mussten sich nun zurechtfinden, sich orientieren in dieser neuen, unbekannten Welt.

Wie geht das vor sich?

Absolut existenznotwendig und deshalb auch der wichtigste Orientierungspunkt für uns im zarten Kindesalter sind die Personen, die uns ernähren und pflegen.

Wir sind abhängig von ihrer Zuneigung und Fürsorge, sie sind deshalb zwangsläufig unser großes Vorbild. Wir ahmen sie nach und bemühen uns, das zu tun, was unsere Ernährer und Erzieher von uns erwarten.

Wir steuern also unser Verhalten nach dem Vorbild und den Erwartungen unserer älteren Bezugspersonen.

Manchmal lehnen wir uns als Kinder gegen dieses Ausgeliefertsein auf, aber letztlich gibt es keine Alternative für uns; jeder aufwachsende Mensch kann nicht umhin, sich zunächst an anderen Personen zu orientieren.

Mit dem Heranwachsen modifizieren und erweitern wir zwar die Art der Verhaltensorientierung (wie wir gleich sehen werden), aber im Prinzip behalten wir sie bei.

Dies hat eine sehr unangenehme Konsequenz, die wir jetzt schon kennen:

Wir sind weitgehend abhängig von anderen Menschen, um unser Verhalten steuern zu können.

Nicht wir selbst sind es, die unsere Handlungen im wichtigen subjektbezogenen Bereich festlegen und lenken, sondern andere Personen (denen es ebenso geht).

Zunächst sind es also die Erwartungen unserer Mitmenschen, denen zu entsprechen wir ängstlich bemüht sind.

Was aber diese lieben Leute von uns erwarten, ist gar nicht immer klar und deutlich zu erkennen. Das heißt, wir müssen unsere Bezugspersonen sehr aufmerksam beobachten, und trotzdem bleibt uns häufig nur übrig, vage zu vermuten, was von uns erwartet wird.

Deshalb haben wir unsere Verhaltensorientierung ein wenig vereinfacht. Wir haben uns bestimmte Leitlinien, Normen, Muster, Regeln und Wertungen einfallen lassen, die wir sogar teilweise zu recht komplexen Wertsystemen, Dogmen und Ideologien ausgeweitet haben.

Diese Verhaltensdirektiven müssen wir zwar erst erlernen, doch als Preis der Mühe haben wir dann feste Richtlinien für das, was man tut, was sich gehört, wie wir uns zu benehmen und aufzuführen haben.

So können wir uns jetzt zuverlässiger danach richten, was jeweils für gut, anständig oder erstrebenswert gehalten wird.

Wir können uns bemühen, das »Böse«, das »Anstößige« und »Schlechte« zu unterlassen – Bewertungen also, die wir von unseren Vorbildern gelernt haben.

Vorteilhaft scheint zunächst dabei zu sein, dass wir mit dieser genormten Orientierung die direkte Abhängigkeit von unseren Bezugspersonen weitgehend aufheben konnten. Aber der Geltungsbereich von Verhaltensnormen und -wertungen ist in der Regel eng begrenzt auf eine bestimmte Gruppe von Personen.

Unsere Abhängigkeit von einzelnen wurde also lediglich auf eine Abhängigkeit von einer gleichgesinnten Mehrzahl von Menschen verlagert.

Hinzu kommt – wie wir bereits wissen – dass Wertungen und Normen nur dann eine zuverlässige Orientierung bieten, wenn wir ihnen einen absoluten Verbindlichkeitsanspruch zumessen, wenn wir sie also allein für wahr und richtig halten, was heute schon ein gewisses Maß an Naivität erfordert.

Bei so vielen auf unserem engen Planeten existierenden Gruppen von Menschen, die unterschiedliche soziale Normen für verbindlich halten, sind Konflikte, Argwohn und Feindseligkeit zwangsläufig programmiert.

Kurzum: unser Verhalten wird mit dem Erwachsenwerden nicht mehr nur direkt von den Erwartungen anderer Personen, sondern zunehmend auch von vorgegebenen kollektiven Wertungen und Normen gelenkt.

Beide Varianten stellen selbstverständlich eine Festlegung unserer Handlungen von außen dar.

Wir selbst bestimmen nicht, was wir tun – wir bleiben von außen geleitete Marionetten, die beliebig austauschbare Rollen spielen können: Der überzeugte Demokrat und Kapitalist aus den USA könnte genauso überzeugt von sozialistischen Errungenschaften schwärmen, wenn er in Russland oder China erzogen worden wäre – und umgekehrt.

Auch der Demonstrant und der Polizist, der schrille Punk und der vernagelte Spießbürger unterscheiden sich nicht in ihrer Verhaltenssteuerung, wenngleich die bestimmenden Rollenmuster jeweils verschieden und in manchen Bereichen sogar gegensätzlich sind.

Unser soziales Verhalten wird in all diesen Fällen in völlig identischer Weise von außen bestimmt und gelenkt.

Wir verfügen übrigens auch über eine Kontrollinstanz in uns, die unser Verhalten daraufhin überwacht, ob es auch normengerecht ist oder den Erwartungen unserer Gruppenmitglieder entspricht – das ist unser »Gewissen«.

Diese innere Kontrolle hat nicht immer eine erfreuliche Wirkung: Der Lagerkommandant in Auschwitz, der Folterknecht in Chile, der an Massenerschießungen und Vergewaltigungen beteiligte Soldat im ehemaligen Jugoslawien – all diese stumpfsinnigen, brutalen Männer hatten möglicherweise ein gutes Gewissen. Sie handelten nämlich gruppenkonform, wie es von ihnen erwartet wurde – und wie wir selbst in harmloseren Situationen auch zu handeln pflegen.

Das schlechte Gewissen hätten diese Ja-Sager eher bekommen, wenn sie ihre »Pflicht« nicht erfüllt hätten.

Es spielt also kaum eine Rolle, ob normengerechtes oder erwartungsgeleitetes Verhalten positive oder negative Auswirkungen für andere, davon betroffene Menschen hat. Gruppenfremde Opfer finden keine Berücksichtigung. Wohlverhalten wird von den bestimmenden Gruppenmitgliedern, den »Anführern« belohnt: Das kleine Kind bekommt ein Bonbon und der große Krieger einen Orden.

Wir selbst empfinden die Zustimmung und Anerkennung von Seiten unserer Mitmenschen als angenehm. Unser inneres Kontrolllämpchen signalisiert Wohlbefinden.

Passt sich ein Mensch nicht an, verhält er sich nicht gruppenkonform, dann muss er Bestrafung fürchten, möglicherweise macht sich auch sein schlechtes Gewissen unliebsam bemerkbar.

Da es uns heute in der Regel noch sehr wichtig ist, wie unsere Mitmenschen uns einschätzen, wird sogar ein bloßer Sympathieentzug schon als eine empfindliche Strafe empfunden.

Unser Denkvermögen spielt also bei unserer sozialen Verhaltenssteuerung keine Rolle – noch nutzen wir es hier nicht.

Wir missbrauchen es allerdings, um ein zu offensichtliches Fehlverhalten vor uns selbst zu rechtfertigen. Gelegentlich müssen wir auch einen faulen Kompromiss suchen, wenn wir von sich widersprechenden Normensystemen (z. B. religiösen und militärischen) geleitet werden, etwa dem christlichen Gebot, zu lieben statt zu töten, und dem entgegengesetzten militärischen Befehl. Die aus solchen Gewissensbissen hergeleiteten Kompromisse mögen ein weiches Kissen für die eigene Seelenruhe sein, aber sie befreien uns nicht aus unserer Normenabhängigkeit. Kriegsdienstverweigerer müssen also nicht zwangsläufig geistig unabhängiger sein als Wehrdienstleistende – möglich wäre es immerhin.

Wir brauchen keine Verhaltensvorschriften und kein schlechtes Gewissen mehr, sobald wir selbst denkend bestimmen, was wir tun und lassen. *Die Auswirkungen unseres Handelns sollten deshalb bei unseren Überlegungen in Zukunft immer Vorrang haben – nicht aber das, was unsere Bezugspersonen vielleicht von uns erwarten oder was tradierte Verhaltensnormen vorschreiben.*

Aber noch ist es nicht soweit:

Bisher sind wir noch nicht imstande, autonom, überlegt und zielgerichtet zu handeln, soweit sich unsere Tätigkeiten auf uns Menschen selbst auswirken. – Unser Verhalten ist bereits von außen festgelegt und programmiert, und damit sind auch die Auswirkungen unserer Handlungen schon determiniert.

Das gilt genauso für Sie wie für die Politiker, deren Unfähigkeit Sie zu Recht anprangern.

Erst heute beginnen wir langsam zu verstehen, wie unser soziales Verhalten bisher gesteuert wird und wie wir es in Zukunft besser machen können.

Dass dies nicht einfach ist, ja, dass Sie mir wahrscheinlich oft nur mit beträchtlichem inneren Widerstand werden folgen können, wird Ihnen begreiflicher, wenn Sie bedenken, dass wir ja von Kindesbeinen an ohne jede Ausweichmöglichkeit nach den bei uns geltenden Normen und Wertungen dressiert und manipuliert wurden.

Werfen Sie dies aber nicht Ihren Eltern und Lehrern vor – denen ging es ja ebenso!

Man machte uns also permanent, unausweichlich und mit allem Nachdruck deutlich, was wir
für gut und für schlecht zu halten hätten, was
wir anstreben und was wir vermeiden müssten.
Nachdem wir diesen schmerzlichen Anpassungs-
prozess endlich durchgestanden haben, nachdem
wir all diese Direktiven und Vorbilder uns zu ei-
gen gemacht, verinnerlicht haben, wird hier jetzt
mit dürren Worten gefordert, dass wir das alles
wieder in Frage stellen und sogar als unbrauchbar entlarven müssen – ja, dass alles, was wir
tun, ganz neu von uns durchdacht werden muss.
Das ist, zugegeben, ein schwerer Brocken, den
wir aus dem Weg zu räumen haben.
Aber wenn es nicht möglich wäre – könnte dann
überhaupt jemand imstande sein, über all dies
nachzudenken und zu schreiben?

»Niemand würde viel in Gesellschaften sprechen, wenn er sich bewusst wäre, wie oft er die anderen missversteht.« Johann Wolfgang von Goethe

Kommunikation ist eine unsichere Angelegenheit

Nur Lebewesen können fühlen und denken – jedes für sich allein.

Ein Austausch von Gedanken und Empfindungen zwischen einzelnen Menschen ist nie direkt, sondern nur über Umwege möglich: Sie müssen Ihre geistigen Regungen erst mit einem entsprechenden Verhalten für andere erkennbar machen.

Die angesprochenen Personen wiederum müssen Ihre Worte und Sätze auf einen gedanklichen oder emotionalen Inhalt zurückführen. Das sind dann nicht mehr dieselben Gedanken und Empfindungen, die Sie zu Ihrer Äußerung veranlasst haben, sondern eben die anderer Personen.

Aber wenn Sie sich hinreichend präzise ausgedrückt haben, und wenn Ihre Zuhörer oder Leser dann Ihre Aussagen konzentriert und gründlich interpretiert haben, dann können sich gedankliche und emotionale Annäherungen ergeben – bestenfalls ...

Ein Beispiel für unterschiedliche Wahrnehmungen:

Auf einem Winterspaziergang gehen zwei Leute, z. B. eine Fotografin und ein Förster, an einer großen, freistehenden, schwer mit Schnee beladenen Fichte vorbei.

Die Frau ist von dem Motiv begeistert und denkt daran, eine romantische Landschaftsaufnahme für die Regionalzeitung zu machen: Die Sonne wird das Motiv vormittags günstig beleuchten, die bereiften, herabhängenden Zweige der Birke im Vordergrund könnten dem Bild einen Rahmen geben ...

Auch der Förster findet den Anblick schön, er kommt aber zu ganz anderen Assoziationen: Hoffentlich werden die Äste nicht unter der Schneelast brechen – wurden im Wetterbericht nicht weitere Schneefälle vorausgesagt? Sicherlich über 100 Jahre alt, der Baum, zwei fm Stammholz, aber ästig, abholzig und wohl auch rotfaul im unteren Stammbereich.

So unterschiedlich sind oftmals die durch den Beruf oder durch bestimmte Vorlieben geprägten Überlegungen und Einstellungen, und häufig kommen noch andere Einflussgrößen hinzu: So freut sich die Fotografin möglicherweise auf das Wiedersehen mit einem guten Freund, während der Förster vielleicht kürzlich erfahren hat, dass seine Mutter an einer schweren Krankheit leidet – auch unsere Stimmungen haben ja Einfluss darauf, wie wir Nachrichten und Wahrnehmungen interpretieren.

Wir sehen, wie unterschiedlich eine eindeutig erscheinende Information wie: »Der Baum ist schneebehangen« von verschiedenen Betrachtern interpretiert werden kann. Auch wenn die wertende Aussage: »Der Baum sieht schön aus«, von beiden Personen bejaht wird, so sind selbst hier beträchtliche Unterschiede vorhanden, die nicht vom Erscheinungsbild des Baumes abhängig sind, sondern von dem jeweiligen Betrachter, der diese Wertung trifft.

Unsere Möglichkeiten, eigene Gefühle anderen mitzuteilen, sich ziemlich eingeschränkt.

Wir drücken uns zwangsläufig vage aus – des Baumes »Schönheit«, dieses Wort lässt allen großen Interpretationsspielraum.

Wir begnügen uns mit der Unterstellung, dass die anderen ähnlich fühlen wie wir selbst.

Was bleibt uns auch übrig: Die Ausdrucksformen der Empfindungen anderer Menschen können wir ja nur im Spiegel unserer eigenen Sensibilität und unserer emotionalen Erfahrungen interpretieren.

Das heißt: *Je sensibler und erfahrener ein Mensch ist, desto zutreffender kann er die Empfindungen seiner Mitmenschen nachvollziehen.*
Trotzdem bleibt es immer unvollkommen.

Ein Austausch von Informationen im sozialen Bereich ist keineswegs immer bewusst auf bestimmte Ziele gerichtet.

Bei der morgendlichen Begrüßung von Arbeitskollegen beispielsweise dienen flüchtige Bemerkungen über das Wetter, den Verkehr, das Arbeitsprogramm oder über die Gesundheit nicht allein dazu, unsere Neugier zu stillen.

Vielmehr gebrauchen wir bestimmte eingeübte Floskeln, um gewissermaßen bei den Kollegen

»gute Stimmung« zu machen. Wir signalisieren unsere Bereitschaft zur erwarteten Zusammenarbeit. Wir geben zu erkennen, wie gut oder schlecht unsere Laune heute ist, und wir erleichtern unseren Mitarbeitern und uns selbst damit, uns aufeinander einzustellen und möglichen Konflikten auszuweichen.

Auch diese oberflächliche Konversation stellt also eine komplexe Information über unsere Stimmungen dar, sie beeinflusst diese Stimmungen und sie schafft einen Konsens – unabhängig davon, ob wir das beabsichtigen oder nicht.

Schon bei einer alltäglichen Konversation sind wir also vielschichtigen Einwirkungen ausgesetzt, die wir selten bewusst kontrollieren und steuern, ja, nicht einmal voll und ganz durchblicken.

Sehr viel bedenklicher sind aber die Einflussnahmen, mit denen ein öffentlicher Redner darauf abzielt, seine Zuhörer zu manipulieren, zu » überzeugen«.

Der nutzt die Abhängigkeit seiner Zuhörer von bestimmten Wertvorstellungen und von ihrem Bestreben, den Erwartungen der Mitmenschen zu entsprechen.

Er argumentiert zudem so vage, dass eine verstandesmäßige Prüfung seiner Aussagen unmöglich wird – und er schürt zugleich Emotionen.

Dieses Appellieren an Gefühle hat den gleichen Effekt wie eine vieldeutige, verschwommene Ausdrucksweise; wieder wird eine rationale Kontrolle dessen verhindert, was der Redner uns sugge-riert.

Als Goebbels Zuhörer 1943 auf seine Suggestiv-frage, ob sie den » totalen Krieg« wollten, uni-sono mit einem stürmischen »Ja« antworten, da haben sicherlich nur wenige dieser unreflektier-ten Ja-Sager eine weitere Eskalation des zweiten Weltkriegs gewollt.

Dieses »Ja« war lediglich Ausdruck ihres sponta-nen Bestrebens, so zu reagieren, wie es von ihnen erwartet wurde.

Diese Methode funktioniert auch heute bei uns noch unverändert verlässlich.

Abgesehen von der gewandelten Situation, in der wir heute leben, hat sich in dieser Hinsicht bis-her kaum etwas geändert. Wir sollten uns hüten, uns selbst etwas Schmeichelhafteres vorzuma-chen.

Aber einen großen Vorteil haben wir doch gegen-über unseren Eltern und Großeltern: Wir wissen heute viel mehr über uns selbst, über unsere Ver-haltenssteuerung, über die Fehler, die wir ma-chen und darüber, wie wir sie vermeiden können. Sobald wir dieses Wissen nutzen, werden wir tat-sächlich eine Änderung bewirken.

»Most people would rather die than think: many do.«

Bertrand Russell

Was ist Politik?

Politik ist ihren Auswirkungen so gravierend und so wichtig für jeden von uns, dass wir es uns nicht leisten können, unseren Verstand durch Gefühlsappelle oder durch verschwommene Formulierungen vernebeln zu lassen.

Deutlicher noch: Versucht ein Politiker, bei anderen Menschen Emotionen aufzustacheln, dann sollten wir alarmiert sein.

Dann ist er entweder zu unwissend, seine Aufgaben zu kennen und wahrzunehmen, oder er will uns bewusst manipulieren.

Appelle an Kollektivgefühle, die es – wie Sie wissen – gar nicht gibt, werden Sie mit gezielter Aufmerksamkeit und ein bisschen Übung leicht erkennen.

Mühseliger ist es, ungenaue Formulierungen zu entlarven – dieses vieldeutige und inhaltsleere Gerede und Geschreibe, das es uns schwer macht, Aussagen rational nachzuvollziehen und zu prüfen.

Wir müssen uns also besonders intensiv darin üben, ungenaue Formulierungen aufzuspüren, zu enttarnen und als unbrauchbar von uns zu weisen.

Sie wissen bereits: Sprache wird bisher allgemein in der normierten Form gebraucht, in der sie uns gelehrt wurde. Wollen wir unsere Wörter jedoch denkend zur Informationsübermittlung nutzen, dann ist das eine ganz neue Form der Sprachanwendung, die geistiges Training erfordert; dann müssen wir die Sätze und Wörter, die wir hören oder lesen, auf ihren »erkennbaren Gehalt« zurückführen, um sie verstehen und prüfen zu können. Der erkennbare Gehalt des Wortes »Verteidigung« ist das, was wir mit dem Wort »Krieg« präziser benennen, nämlich das kollektive Fehlverhalten, mit dem wir Menschen uns gegenseitig töten und verletzen.

Das Wort »Krieg« wird von uns heute meistens als unangenehm empfunden. Das Wort »Verteidigung« dagegen lässt angenehmere Assoziationen anklingen: Schutz, Stärke, Mut, Gerechtigkeit, Sicherheit und andere verschwommene Wörter mögen etwa die emotionale Einstellung vage umschreiben, die dieses Wort bei uns programmgemäß hervorrufen soll.

Damit jedoch verschleiert es seinen kognitiven Gehalt, nämlich die konkrete Vorstellung von einer kriegerischen Auseinandersetzung.

Aber absurder noch: Das Wort »Verteidigung« ist die vorweggenommene positive Bewertung unseres Verhaltens in der zerstörerischen Konfliktsituation »Krieg«.

Es suggeriert uns, dass nur wir die Guten sind, dass allein wir uns in diesem zukünftigen kollektiven Fehlverhalten nicht falsch verhalten werden – ganz im Gegensatz zu den anderen Teilnehmern an dieser gewalttätigen Auseinandersetzung, den bösen Feinden. Diese Unterstellung ist so inkonsequent, so bar jeder Logik, so unglaublich naiv, dass es jeder Beschreibung spottet.

Aber zurück zum erkennbaren Gehalt des Wortes » Krieg« alias »Verteidigung«:

Allzu großer geistiger Beweglichkeit bedarf es ja nicht, sich einen Krieg mit Einsatz all der Geräte und Mittel vorzustellen, die wir uns hierfür haben einfallen lassen:

Die grellen Lichtblitze, die zermalmenden Druckwellen, die vernichtenden Feuerstürme, die langsamer tötende radioaktive Strahlung mit der nachfolgenden Dunkelheit und Kälte, dem weltweiten radioaktiven Ascheregen ...

Oder sollten wir wirklich so schlichten Gemütes sein, von unseren Kriegern zu erwarten, dass sie ausgerechnet dann, wenn es mit dem »Siegen« eng wird, auf den Einsatz ihrer destruktivsten Waffen großherzig verzichten werden? Und meinen Sie wirklich, die betroffenen Menschen würden sich in dieser qualvollen Phase ihres Sterbens noch dafür interessieren, welcher der Herren Politiker wohl den ersten Stein geworfen haben mag – wer also möglicherweise den Anstoß für den schon lange (wenn auch unbeabsichtigt) vorbereiteten Krieg gegeben hat?

Nicht einmal die paar für dieses radikale Ende maßgeblichen Leute werden dann noch das Bedürfnis und die Gelegenheit haben, ihr Versagen vor sich selbst zu rechtfertigen.

Für jeden Wortfetischismus ist dann die Zeit vorbei – endgültig.

Solchen Wortfetischismus betreiben wir immer dann, wenn wir einzelne Wörter anhimmeln oder verdammen, wenn wir ihnen also einen hohen emotionalen Wert zumessen, ohne überhaupt nach der Bedeutung dieser Wörter zu fragen.

Die Eignung von Wörtern als Träger für erkennbare Inhalte ist nun mal nicht abhängig von der Lautstärke oder dem Pathos, mit dem sie gebraucht werden, und auch nicht von den spontanen emotionalen Assoziationen, die sie in uns möglicherweise wecken.

Diesen kognitiven Gehalt müssen wir vielmehr nüchtern und wertfrei ermitteln. Erst danach dürfen wir die so erkannte Information bewerten.

Nicht das Wort, das uns als Träger für Informationen dienen kann, darf von uns bewertet werden, sondern allein die Information, dieser erkennbare Gehalt selbst.

Nicht dem Verpackungsmaterial gilt unser wertendes Interesse, sondern dem Inhalt der Verpackung – falls der überhaupt vorhanden ist.

Das alles ist neu.

Bisher haben wir uns noch nicht daran gewöhnt, uns dieser notwendigen Mühe zu unterziehen – aber auch das kann gelernt werden.

Das Wort »Freiheit« z. B. gebrauchen wir sehr häufig. Spontan und unreflektiert bewerten wir dieses Wort positiv. Wir himmeln also (andere nachahmend) ein bloßes Wort an, denken aber noch nicht darüber nach, was dieses Wort überhaupt beinhaltet, welchen informativen Gehalt es (möglicherweise) besitzt.

Tatsächlich ist das Wort »Freiheit« lediglich eine vage Umschreibung für die Abwesenheit irgendwelcher Zwänge. Solange diese fehlenden Einengungen nicht unmissverständlich beschrieben werden, können wir auch das wohlklingende Wort »Freiheit« nicht verstehen, nicht mit unserem Denkvermögen erfassen. Es bleibt inhaltsleer – wie viele andere ach so beliebte Wörter auch ...

Warum also dieses emotionsgeladene Festhalten an inhaltsleeren und inhaltsarmen Wörtern?

Ein Psychologe mag vermuten, dass wir das vage Wort »Freiheit« bevorzugen, um uns vor einer Auseinandersetzung mit konkreten Zwängen zu drücken.

Genauso ist es bequemer, seicht und unbestimmt von »Frieden« zu schwärmen, statt handfest etwas für die Verhinderung von Kriegen zu tun.

Demnach wäre es nicht nur Unwissenheit, die uns lähmt, sondern auch fehlende Zivilcourage, ein Mangel an innerer Aufrichtigkeit.

Wir werden also üben müssen, Wörter möglichst nüchtern (wertfrei) zu analysieren. Erst das Analyseergebnis dürfen wir dann auch bewerten.

Immer dann, wenn jemand in öffentlichen Verlautbarungen bestimmten Wörtern ein emotionales Gewicht, einen Wert zumisst, werden wir in Zukunft sehr aufmerksam sein müssen und sofort den Verdacht schöpfen, dass hier der Versuch gemacht wird, uns zu manipulieren und für dumm zu verkaufen.

Es gibt aber auch inhaltsleere und inhaltsarme

Wörter, die wenig oder gar nicht mit Gefühlen befrachtet werden, und die mehr aus stupider Gewohnheit in aller Munde sind. »Gesellschaft« ist ein solches Wort.

Eine leere Worthülse – nicht eindeutig definiert und damit unbrauchbar. »Die Gesellschaft« gibt es nicht – das weiß heute jeder aufgeweckte Soziologiestudent. Wer pauschal von »Gesellschaft« spricht, sagt damit nichts. Dieses Wort lässt allenfalls Rückschlüsse auf die Personen zu, die sich dieses und ähnlicher Wörter häufig bedienen.

Sie werden also in Zukunft Wörter anders, sorgfältiger, überlegter als bisher gebrauchen müssen.

Und Sie sollten selbstbewusst, respektlos und wach genug sein, sich von der üblichen Oberflächlichkeit und Gedankenlosigkeit zu distanzieren.

Nicht ein salbungsvoller Ton oder ein bedeutungsschwerer Augenaufschlag, nicht ein undefinierbarer Gefühlsbrei ist ein Indiz für die Brauchbarkeit von Wörtern zur Weitergabe von Informationen, sondern allein ein (vielleicht vorhandener) erkennbarer Inhalt.

Und dieser kognitive Gehalt soll zudem so klar und eindeutig sein, dass Fehlinterpretationen möglichst vermieden werden.

Mit anderen Worten: wir müssen darauf achten, dass wir unsere Sprache nicht länger dazu missbrauchen, uns zu täuschen und zu manipulieren.

Wir dürfen keine Hemmungen haben, bislang gedankenlos verwendete Wörter unbestechlich genau zu prüfen. Einige völlig inhaltsleere werden wir dabei ohne Verlust aus unserem Sprachschatz streichen, viele andere aber werden wir neu zu definieren haben, um ihnen so einen eindeutigen, informativen Gehalt zu geben.

Erst solche neuen, allgemein akzeptierbaren Definitionen ermöglichen uns dann eine gezielte Auswertung und eine erfolgreiche Verarbeitung – also das, was wir »Denken« nennen.

Was ist zum Beispiel »Politik«? Unsere Vorstellungen von dem, was wir »Politik« nennen, wurzeln nicht nur in tiefer Vergangenheit, sondern sie sind auch verschwommen und uneinheitlich.

Und was wir mit dieser Politik erreicht haben, ist – milde gesagt – ziemlich beunruhigend.

Nun leben wir nicht gestern, sondern heute, und wir denken, planen und arbeiten für morgen – für unsere Zukunft. Versuchen wir also, uns von unseren veralteten, untauglichen politischen Vorstellungen zu emanzipieren, und prüfen wir folgende neue Definition:

Politik ist die Regelung menschlichen Miteinanderlebens.

(Dies ist ein Vorschlag – logisch tragfähig, zeitgemäß und weltweit anwendbar. Er kann jederzeit durch eine bessere Definition ersetzt werden, aber solange uns die nicht gelingt, sollten wir uns dieser Definition bedienen.)

Welche Konsequenzen ergeben sich nun aus diesem neuen Politikbegriff, dessen Mittelpunkt erstmals wir Menschen sind?

Politik wird nicht von Institutionen, sondern von einzelnen Menschen gemacht. Wichtig sind also die Personen, die diesen neuen Beruf ausüben sollen.

Einem Arzt oder Wissenschaftler muten wir selbstverständlich eine lange, fundierte und umfassende Ausbildung zu.

Die Arbeit von Politikern ist noch wichtiger, weil sie eine viel größere und weitreichendere Auswirkung auf andere Menschen hat.

Warum sollten wir nicht auch von diesen Politikern eine ihrer Arbeit adäquate Qualifikation verlangen?

Wer das gemeinsame Leben von Menschen möglichst gut regeln soll, braucht dazu mindestens gründliche Kenntnisse der Soziologie, der Psychologie und der Ökologie, und er muss vor allem gelernt haben, unabhängig, systematisch und zielgerichtet zu denken.

Wir können nicht isoliert von unserer Umwelt existieren – wir sind also ein Teil dieser Welt (wenn auch ein entbehrlicher).

Wer für menschliches Leben zu sorgen hat, muss folglich gute Lebensbedingungen schaffen und erhalten.

Konsequenter Umweltschutz gehört dazu, der Schutz unseres Lebensraumes vor weiteren Plünderungen und Zerstörungen, die Bewahrung der Tiere und Pflanzen vor der Ausrottung durch uns, aber besonders das Bemühen, alle lebenden Menschen vor materieller und psychischer Not zu bewahren.

Das alles ist jedoch nur für eine begrenzte Anzahl von Menschen auf diesem Planeten möglich.
Deshalb ist es auch nötig, unseren Bevölkerungszuwachs möglichst zwangfrei einzudäm-
men. Dies ist die schwerste politische Aufgabe
der Zukunft.

Das politische Ziel, uns Menschen dauerhaft gute
Lebensbedingungen zu schaffen, schließt Kriege,
die Vorbereitung dazu und überhaupt alle militärischen Traditionen konsequent aus, denn
menschliches Leben zu regeln und unzählige
Menschen gezielt zu vernichten, sind diametrale
Gegensätze – sie lassen sich nicht miteinander
vereinbaren.

Sollte also einer unserer zukünftigen Politiker
die Produktion von Kriegswaffen dulden oder zu-
lassen, dass Männer darin ausgebildet werden,
andere Menschen zu töten, so würde er damit
seine Unfähigkeit mit nicht zu übertreffender
Deutlichkeit zeigen – er würde sich für jedermann leicht erkennbar disqualifizieren.

Statt unser Miteinander-Leben zu regeln, würde
er das Gegenteil tun; er würde sich verhalten wie
ein Arzt, der seine Patienten gezielt noch krän-
ker macht, statt ihre Leiden zu heilen.

Und wie diesem gefährlich unfähigen Arzt die
Approbation entzogen werden muss, so ist auch
der gefährlich unfähige Politiker in seinem Beruf nicht tragbar, er muss unverzüglich abge-
setzt werden.

Wie das geschieht, wird von Fall zu Fall zu entscheiden sein, aber ganz gewiss bedarf es keiner

Soldaten, Bomben und Panzer, um einzelne Personen ihrer Posten zu entheben; da gibt es eine Vielzahl angemessenerer Methoden, unter denen Unbeteiligte nicht zu leiden hätten.

Deutlicher noch: Es gibt keine schlechtere, abwegigere, dümmere Methode dazu als ausgerechnet einen Krieg.

»Das lang gesuchte Zwischenglied zwischen dem Tier und dem wahrhaft humanen Menschen sind wir.«

Konrad Lorenz

Ein Ausflug in unsere Vorgeschichte

Die Paläoanthropologie ist ein recht unsicheres Feld.

Wer sich für unsere Ursprünge interessiert, der muss sich auf sehr wenige fragmentarische Ausgrabungsfunde stützen.

Unsere Überreste verrotten normalerweise schnell, und es bedarf eines überaus seltenen Zusammentreffens von bestimmten physikalischen und chemischen Bedingungen, damit ein Knochen oder Zahn durch »Einkieselung« dauerhaft konserviert wird.

Abgesehen von der Schwierigkeit des Auffindens und der richtigen Zuordnung dieser seltenen Fossilien:

Der Untersuchungszeitraum und die räumliche Verteilung der Funde sind riesig.

Von den ersten Hominiden bis zu uns sind etwa 7 Millionen Jahre vergangen. Wir verfügen heute im Durchschnitt gerade mal über einen einzigen fossilen Knochensplitter oder Zahn für die Erkundung von 2.500 Jahren Menschheitsgeschichte.

Da bleibt Spielraum für verschiedene Hypothesen darüber, wo, wie und wann wir entstanden sind.

Viel Endgültiges wissen wir noch nicht. Auch

meine Anmerkungen zu diesem Thema sind überwiegend Vermutungen und sollen nur als Anregung dienen, unseren Werdegang nüchtern und mit angemessener Bescheidenheit zu betrachten:

Genetisch stehen wir unseren Vettern, den Menschenaffen so nahe, dass wir aus biologischer Sicht als eine Schimpansenart gelten könnten.

Von anderen Säugern unterscheiden wir uns freilich zunächst durch unsere dauernd aufrechte (orthograde) Körperhaltung. Dieses zweibeinige Stehen, Gehen und Laufen war die anatomische Voraussetzung dafür, dass unsere Arme und Hände für andere Zwecke verfügbar wurden als für die Fortbewegung, z.B. für die Herstellung und den Gebrauch von Werkzeugen und Waffen und zum Tragen. Mit den jetzt viel variabler einsetzbaren motorischen Leistungen unserer Arme und Hände konnten wir auch die Leistungsfähigkeit unseres Gehirns besser ausnutzen als die Vierfüßler. Ein Umstand, der Jahrmillionen später, als die Kapazität unseres Gehirns schließlich nicht mehr ausreichte, langsam dessen Vergrößerung nach sich gezogen haben mag. – Noch andere Faktoren beschleunigten die Entwicklung unseres Gehirns: Schon Homo erectus entwickelte die anatomischen Bedingungen für eine Spracherzeugung.

Der Kehlkopf wanderte abwärts, so dass sich der Rachenraum vergrößerte, was uns wieder die Äußerung eines großen Spektrums von Lauten ermöglichte. Im Gehirn entwickelten sich zudem die Areale, die für die Sprachverarbeitung erforderlich sind. Daneben hatte sicherlich auch das enge Sozialgefüge der frühen Menschenfamilien einen Einfluss auf unsere Entwicklung:

Die frühe Geburt sehr hilfebedürftiger Babys, die langdauernde Kindheit und auch das vergleichsweise lange Leben im Alter waren starke Bindemittel für den Zusammenhalt der frühen Kleingruppen, und soziale Fähigkeiten wieder sind eine Leistung unseres Gehirns.

Das vergrößerte Gehirn hatte zweifellos evolutionäre Vorteile, aber es ist ein Energiefresser. Unser Gehirn verbraucht zum Zeitpunkt unserer Geburt 60 % unserer gesamten Stoffwechselenergie und auch bei Erwachsenen noch 25 %, obwohl es nur 2 % unseres Körpergewichts ausmacht.

Das kann sich nur leisten, wer genügend energiereiche Nahrung heranzuschaffen weiß.

Aufrechter Gang, Werkzeuggebrauch, die Nutzung von Feuer, enge soziale Bindungen, Sprachgebrauch und energiereiche Ernährung – es wird also ein Zusammenwirken vieler Faktoren gewesen sein, das uns zu den erfolgreichen Kulturwesen werden ließ, die heute mit mehr als sechs Milliarden Exemplaren den ganzen Planeten überschwemmen und beherrschen.

Das bemerkenswerteste Produkt dieser Entwicklung ist zweifellos unser ungewöhnlich leistungsfähiges Gehirn.

Dieses großartige Organ befähigt uns dazu, Informationen (Wissen) aufzuspüren, zu speichern, auszuwerten und mit Hilfe der Sprache an andere Artgenossen weiterzugeben.

Wissen um seiner selbst willen zu sammeln, wäre entbehrlicher Luxus. Effektiv werden unsere Kenntnisse dann, wenn wir sie zu einer zielgerichteten Steuerung unserer Handlungen einsetzen. – Dieses zielbewusste Handeln gelingt uns zwar heute erst in dem Teilbereich unseres Verhaltens, den wir »objektbezogenes Handeln« genannt haben, aber damit ist die Kapazität unseres Gehirns längst nicht erschöpft.

Dass wir uns mit dem »subjektbezogenen Denken und Handeln« so schwer tun, liegt nicht an unserer begrenzten Denkfähigkeit, sondern daran, dass dieser Bereich bereits durch die uns anerzogenen Verhaltensmuster und Verhaltenserwartungen ausgefüllt wurde. Wir haben diese fremdbestimmte Orientierungsform verinnerlicht, wir halten sie kritiklos für richtig – und solange wir das tun, sind wir darin blockiert, denkend eine Änderung herbeizuführen.

Aber ganz so starr und unbeweglich sind einige Menschen heute doch nicht mehr.

Wir fangen z. B. an, die engen Grenzen unserer sozialen Gruppenzugehörigkeiten, unserer nationalen und religiösen Beschränktheit zu sprengen.

Langsam dämmert uns, dass wir nicht unselbständige Bestandteile einer fragwürdigen »Gesellschaft« sind, sondern empfindsame menschliche Individuen – sensible Lebewesen, die über ihre Gefühle reflektieren können und die sogar einen Teilbereich ihrer Handlungen autonom bestimmen und auf gewollte Ziele hinlenken können.

Und die Erkenntnis, dass uns dies im Bereich unseres sozialen (subjektbezogenen) Verhaltens bisher noch nicht hinreichend gelingt, eröffnet uns heute erstmals die Möglichkeit, auch hier unser Verhalten kritisch zu prüfen und vielleicht sogar in zunehmendem Maße selbst zu bestimmen.

Das hätte eine radikale Revision, Korrektur und Neuorientierung zur Folge.

Es wäre eine innere Rebellion gegen all unsere Vorurteile und anerzogenen geistigen Blockaden.

Es wäre zudem eine Ausweitung unserer Fähigkeiten, deren Dimension und Bedeutung wir im gegenwärtigen Anfangsstadium bestenfalls zu erahnen vermögen.

Unsere Situation heute lässt sich mit der vergleichen, die unsere Vorfahren durchlebten, als sie sich aufrichteten, um plötzlich ihre Savannenlandschaft schärfer und weiter zu überblicken von dieser höheren Warte aus – als sie sich erhoben und ihre Arme und Hände nicht mehr für die Fortbewegung erforderlich waren, sondern für viel differenziertere Aufgaben zur Verfügung standen – zum Tragen beispielsweise, zum Feuermachen oder um Werkzeuge herzustellen und zu gebrauchen.

Vielleicht waren unsere Urahnen fasziniert davon und auch von der neuen Fähigkeit, hochaufgerichtet Gefahren und Nahrungsquellen viel besser und früher zu erkennen, und sie übten diese neuen Fähigkeiten.

Aber auf zwei Beinen war man noch unsicherer und langsamer als auf allen Vieren, und wenn man schnell laufen musste, dann hat man sich noch oft auf allen Vieren bewegen müssen. Durch diese altgewohnte Fortbewegungsweise waren jedoch wieder die Arme und Hände blockiert und für andere Zwecke nicht mehr verfügbar.

Ähnlich funktioniert auch der gegenwärtig einsetzende Wandel in unserer sozialen Verhaltensorientierung:

So lange unser Verhalten durch soziale Normen fremdbestimmt und festgelegt ist, so lange ist auch unser Denkvermögen hier blockiert, also nicht verfügbar für die autonome Steuerung unserer Handlungen.

In diesem Fall sind wir gewissermaßen noch geistige Vierbeiner.

Haben wir uns jedoch erst zu der Erkenntnis aufgerichtet, dass unsere alten tradierten Verhaltensmuster nicht von vornherein richtig und unantastbar sind, sondern sehr wohl kritisch geprüft werden müssen, dann eröffnen wir uns zugleich die Möglichkeit, über eine Änderung unseres bislang fixierten Verhaltens nachzudenken.

Erst wenn wir erkannt haben, dass z. B. »Verteidigungspolitik« heute zu einer unausweichlich todbringenden Dummheit geworden ist, gelingt es uns, über die Abschaffung dieser anachronistischen Tradition nachzudenken und entsprechend zu handeln.

Die fremdbestimmte Festlegung unseres sozialen Verhaltens verhilft uns natürlich zu einer bequemen Orientierung: So lange wir von der Richtigkeit dessen überzeugt sind, was »man« tut, gibt es keine bohrenden Zweifel, keine Notwendigkeit, den Verstand zu bemühen, kein Erfordernis, Zivilcourage aufzubringen.

Es gehört immer Mut und Kraft dazu, Neuland zu betreten.

Wem es nun gelingt, sich von der Gebundenheit an fremdbestimmte Verhaltensmuster zu emanzipieren, der muss diese ungewohnte aufrechte Haltung intensiv trainieren, um die nötige Sicherheit zu erwerben. Dann jedoch erschließen wir uns einen weiten, klaren Ausblick – sowohl auf die Gefahren, für die wir heute noch blind sind, wie auch auf neue, sehr erfreuliche Gestaltungsmöglichkeiten unseres Miteinanderlebens.

»Zwei Dinge sind unendlich: Das Universum und die menschliche Dummheit – aber bei dem Universum bin ich mir noch nicht ganz sicher.«

Albert Einstein

Selbstbewertung – ein folgenschwerer Irrtum

Schaffen wir es endlich, von anerzogenen Direktiven, von sozialen Erwartungen und Wertungen loszukommen und gebrauchen wir stattdessen unser Denkvermögen zur Orientierung, dann erschließen wir uns eine ganz neue Sichtweise – wir sehen uns selbst und unsere Mitmenschen in einem neuen Licht.

Wer jedoch noch zu wenig über sich weiß, wer sich seiner selbst also noch in zu geringem Maße bewusst ist, der muss als Ersatz für dieses fehlende Selbstbewusstsein eine Methode anwenden, mit der er trotzdem so etwas wie eine Positionsbestimmung seiner selbst vornehmen kann:

Er »bewertet« sich selbst im Verhältnis zu anderen.

Diese vergleichende Selbstbewertung ist ein sehr schlechtes Hilfsmittel, denn die Maßstäbe und Skalen für diese Bewertung können in ganz beliebiger Weise aufgestellt werden – überprüfbares Wissen ist dabei nicht erforderlich, sondern stört sogar.

Nur eine Bedingung muss erfüllt sein: Die Wertskalen müssen für richtig gehalten werden.

Wer von ihrer Richtigkeit nicht überzeugt ist, wer sie also nicht anerkennt, für den funktionieren sie auch nicht als Orientierungshilfe.

So könnte man sich beispielsweise folgende (umkehrbaren) Bewertungen konstruieren:

»Ein starker Mensch ist mehr wert als ein schwacher,

ein Gesunder ist mehr wert als ein Kranker,

ein alter ist mehr wert als ein junger Mensch,

ein Mann ist mehr wert als eine Frau,

ein »Arier« ist mehr wert als ein Jude,

ein Israeli ist mehr wert als ein Palästinenser ...«

Innerhalb solch willkürlicher Skalen lokalisiert dann ein Mensch seine Position, und auch die anderen Gruppenmitglieder akzeptieren diese Einordnung, so lange alle die jeweils aufgestellten sozialen Werteskalen anerkennen.

Bei uns reichen diese naiven Werteskalen noch immer von der Hautfarbe, dem Geschlecht, der Nationalität und staatlichen Ideologie über den Glauben, den Ausbildungsgrad und den Beruf bis hin zum Einkommen, Besitzstand, zur Kleidung und zur Automarke. Es ist aber nicht nur willkürlich und naiv, sondern schlicht falsch, sich selbst und anderen einen bestimmten Wert zuzumessen.

Wir Menschen sind zwar glücklicherweise sehr verschieden und hegen auch recht unterschiedliche Sympathien füreinander, aber wir haben keinen unterschiedlichen Wert.

Erinnern wir uns daran, dass es nicht in unserer Macht liegt zu bestimmen, wie wir geraten und in welche Lebensbedingungen wir hineinwachsen.

Wir können uns nicht als eigenes Verdienst zuschreiben, wie wir geworden sind, wir haben uns vielmehr als Zufallsprodukte zu sehen.

Es gibt keine logische Basis dafür, uns unterschiedliche Werte zuzumessen.

Bewahren wir uns also folgende wichtige Erkenntnis:

Kein Mensch ist mehr wert oder geringwertiger als ein anderer.

In Deutschland haben wir aus unserer geschichtlichen Erfahrung der Judenvernichtungen sehr eindrucksvoll lernen müssen, wie grauenhaft die Folgen der Selbstbewertung sein können.

Man kann sich selbst nämlich nur höher bewerten als andere, wenn man diese anderen zugleich auf der Werteskala niedriger einstuft als sich selbst.

Anders geht es nicht.

Und man kann einen vergleichsweise hohen eigenen »Selbstwert« anderen gegenüber nur konkretisieren, indem man durch entsprechende (Miss-) Handlungen demonstriert, wie gering man diese anderen einstuft.

Aber auch eine niedrige soziale Selbsteinschätzung hat negative Auswirkungen:

Autoritätshörigkeit, Unterwürfigkeit, Minderwertigkeitsgefühle sind nicht gerade erstrebenswerte Haltungen anderen Personen gegenüber.

Ehrfurcht und Verachtung, Hochachtung und Geringschätzung sind nur die beiden Seiten ein und derselben falschen Münze.

Aber nicht nur mit Blick auf unsere Mitmenschen, auch für uns selbst wirkt sich die eigene vergleichende Bewertung negativ aus. Das gilt auch dann, wenn wir uns in den oberen Bereich willkürlicher Hackordnungen einstufen – selbst dann, wenn wir auf viele Personen »Macht« ausüben:

In jedem Fall sind wir nämlich auf andere Menschen angewiesen, um uns selbst im Vergleich zu ihnen einschätzen zu können.

In jedem Fall ist derjenige, der sich selbst im Vergleich zu anderen bewertet, von diesen Mitmenschen abhängig.

Wenn wir zudem bedenken, dass auch eine Gebundenheit an Verhaltensmuster und -erwartungen zwangsläufig eine Abhängigkeit von anderen zur Folge hat, dann wird verständlich, wie sehr solche abhängigen Personen bemüht sein müssen, sich ständig ihrer sozialen Position und der Akzeptanz seitens ihrer Mitmenschen zu vergewissern.

Ein Abstieg oder gar eine soziale Isolierung ist für sie nur schwer zu ertragen. Schon eine vom allgemeinen Konsens geringfügig abweichende eigene Meinung wird als ein belastendes Wagnis empfunden. Diese Menschen können es sich in ihrer Abhängigkeit nicht leisten, die für sie so wichtige Übereinstimmung mit ihren Gruppenmitgliedern aufs Spiel zu setzen.

Sie sind zur kritiklosen Anpassung verdammt.

Ganz anders sieht und beurteilt ein Mensch sich und die anderen, wenn er diese sozialen Fesseln abgestreift hat, wenn er sich seiner selbst und seiner Fähigkeit, autonom zu denken und zu handeln, bewusst geworden ist.

Er weiß: Es ist falsch, sich selbst und andere zu bewerten.

Er mag andere mit großem Mitgefühl oder neugierigem Interesse betrachten, aber er ist nicht abhängig von ihnen, und er empfindet anderen Personen gegenüber weder unterwürfigen Respekt noch Geringschätzung.

Für ihn gibt es auch keinen Nationalismus, keinen Glaubenseifer, keine dogmatischen oder ideologischen Festlegungen, denn er weiß ja, dass das soziale Umfeld, in das wir nun mal nolens volens hineingeboren wurden, eine zufällige Gegebenheit für jeden von uns ist.

Es wäre nur lächerlich und dumm, sich diese unbeeinflussbare Gegebenheit als persönliches Verdienst oder Verschulden anrechnen zu wollen, um sich absurderweise für etwas Besseres oder Schlechteres zu halten als andere.

Wer sich dagegen den Blick auf andere Menschen (und auf sich selbst) durch willkürliche Werturteile verstellt, der blockiert damit auch seine (ohnehin begrenzte) Fähigkeit, sich in diese anderen hineinzuversetzen, ihre Empfindungen nachzuvollziehen – seine Mitmenschen zu begreifen ...

»There is a way of doing better, find it!«

Thomas Alva Edison

Über Rassismus und intraspezifische Tötungsakte

Wer darauf angewiesen ist, die eigene Position wertend zu bestimmen, der kommt nicht umhin, andere Menschen abzuwerten, sie also zu diskriminieren.

Dabei mag er sich vielleicht unwohl fühlen, trotzdem bleibt ihm nichts anderes übrig, so lange er die Bewertung seiner selbst (den Selbstwert) noch nicht durch Wissen über sich selbst (durch Selbstbewusstsein) ersetzt hat.

Uns missfällt zum Beispiel, wenn Weiße Schwarzen gegenüber allzu offensichtlich Rassendiskriminierung betreiben, und gelegentlich protestieren wir sogar dagegen.

Aber vielen von uns geht es gar nicht um das Schicksal der Schwarzen (auch wenn wir uns dies gern einreden), sondern eher wohl darum, diese auffällig rassistischen Nestbeschmutzer zur Stubenreinheit anzuhalten.

Es macht sich in unseren Augen nicht gut, ja, es ist uns peinlich, wenn unsere weißen Brüder und Schwestern zu unverblümt vor aller Welt Rassismus praktizieren.

Auch wir selbst diskriminieren zwar eifrig andere, um unseren Selbstwert abzugrenzen, aber wir tun es dezenter und leiser, gewissermaßen mit der Diskretion, die unserem Niveau entspricht. Aber das ist bestenfalls ein gradueller Unterschied zum penetranten, offenen Rassismus.

Wenn uns »Weißen« das Schicksal der »Schwarzen« tatsächlich nicht gleichgültig wäre, dann müssten wir reichen, gut ausgebildeten Bewohner der Industrieländer uns viel massiver um die Not der Menschen in der Dritten Welt kümmern. Dann würden wir die irrsinnigen Kriege dort nicht mit profitablen Waffenverkäufen anheizen, und dann würden wir auch nicht wirtschaftliche Ausbeutung betreiben, indem wir gerade den Ärmsten besonders niedrige Preise für deren Exportgüter diktieren oder Handelsschranken errichten

Wir würden es im Gegenteil für selbstverständlich und sogar für dringend erforderlich halten, diesen benachteiligten Menschen bei ihrer Ausbildung und eigenen Versorgung zu helfen, denn wir wissen ja:

Es ist ebenso wenig unser Verdienst, dass wir hier im Überfluss leben, wie es das Verschulden der Armen ist, weniger Glück gehabt zu haben.

Es geht uns also nicht um Menschen – noch nicht. Es geht uns immer noch um die Aufrechterhaltung von Normen und Wertungen von Privilegien und Hierarchien.

Das gilt auch für die Bewertung von Kriegen und anderen intraspezifischen Tötungsakten:

Tötet oder verletzt ein hierfür ausgebildeter Mann beispielsweise andere Menschen, dann bewerten wir sein Verhalten allein danach, ob er gegen geltende Normen verstoßen hat.

(Im Krieg soll er Menschen töten, in friedlichen Zeiten darf er es nicht.)

Wohlgemerkt, die Opfer spielen dabei keine Rolle. Vielmehr wird der Regelverstoß geahndet, das »Verbrechen« wird »bestraft«, die »Schuld« wird »gesühnt«.

Nicht die betroffenen Menschen finden unsere Zuwendung, sondern eine Normenabweichung wird verurteilt und geahndet. Wenn es uns um Menschen ginge statt um die Einhaltung von Vorschriften, wenn wir denken würden statt nach vorgegebenen Mustern zu bewerten, dann würden wir zunächst einmal den Opfern menschlichen Fehlverhaltens nachhaltig helfen, soweit dies möglich wäre. Danach würden wir uns darum kümmern, die Ursachen zu ändern, damit künftig diese negativen Auswirkungen menschlichen Verhaltens möglichst vermieden werden können. Hier wäre freilich nicht juristisch-konservatives, sondern psychologisches und soziologisches Fachwissen gefragt. – In Zukunft sollte es uns also darum gehen, menschliches Fehlverhalten zu vermeiden und zu korrigieren.

Mit einer Bestrafung von Regelverstößen ist es nicht getan.

Bisher jedoch reagieren wir nicht nur falsch und damit erfolglos auf menschliches Fehlverhalten, wir geben uns noch nicht einmal die Mühe, dieses Fehlverhalten entsprechend seiner negativen Auswirkungen zu definieren.

Ob wir eine Handlung für gut oder schlecht halten, hängt für uns auch davon ab, wer diese Tat begeht.

Nicht die negative Auswirkung einer Gewalttat für die Betroffenen, sondern die soziale Rolle des Täters ist uns wichtig.

Töten Sie Ihre Mitmenschen nach eigenem Belieben oder veranlassen Sie deren Tötung, dann wird dies (erfreulicherweise) als ein eklatantes Fehlverhalten, als eine schlimme Missetat angesehen.

Veranlasst jedoch ein »Staatsoberhaupt« diese Tötungen, dann käme kein braver »Staatsbürger« auf die Idee, auch darin ein Fehlverhalten zu sehen.

Im Gegenteil – wie weiland Kaiser und Könige, so haben auch Anführer und Staatsoberhäupter heute noch einen Freibrief, eine beliebig große Anzahl von Menschen in Kriegen töten zu lassen.

Für die Opfer ist es begreiflicherweise höchst belanglos, ob sie durch einen »Meuchelmörder« oder durch ein »Staatsoberhaupt« gewaltsam zu Tode kommen – aber wer kümmert sich heute schon um die Opfer?

Dieses befremdlich inkonsequente normengeleitete Fehlverhalten erkennen wir aber erst dann in vollem Umfang, wenn wir unsere hier wirksamen Normen und Wertungen in Frage stellen.

Denken Sie dabei wieder an unsere axiomatischen Sätze:

1. POLITIK IST DIE REGELUNG MENSCHLICHEN MITEINANDERLEBENS!

Die Vernichtung von Menschenleben ist demnach nicht Politik, sondern exakt das Gegenteil. Ein Politiker kann sich nicht eindeutiger disqualifizieren als durch direkte oder indirekte Mitwirkung an einem Krieg.

2. KEIN MENSCH HAT EINEN HÖHEREN ODER GERINGEREN WERT ALS EIN ANDERER!

Auch das Leben eines politisch maßgeblichen Menschen ist keinen Deut mehr oder weniger wert als das eines anderen.

»Die große Kunst des Denkens besteht darin, Taten überflüssig zu machen«   Fritz Diettrich

Ein bemerkenswerter Wirkungszusammenhang

Alle bekannten politischen Maßnahmen, die auf die Vernichtung von Menschen gerichtet sind, müssen wir so lange erdulden, wie wir noch keine Alternativen kennen.

Es reicht nicht aus, die tödliche Auswirkung dessen zu erkennen, was wir beschönigend Verteidigungspolitik nennen.

Um unsere Selbstvernichtung durch Kriege zu vermeiden, müssen wir einen Weg finden, von dieser existenzgefährdenden Handlungsweise Abstand nehmen zu können.

Es genügt auch nicht, resignierend die Hände zu falten und Hoffnungen auf andere zu richten.

Wir selbst, Sie und ich und jeder, der unser kollektives Fehlverhalten zu erkennen vermag, muss sich diesen Ausweg denkend suchen!

Wir müssen uns also von bestimmten tradierten Verhaltensmustern trennen, die sich destruktiv auf uns auswirken.

Noch halten wir diese Leitmuster für verbindlich, noch kostet es uns große Überwindung, sie denkend in Frage zu stellen. *Es sind jedoch nicht die sozialen Muster und Normen selbst, die unser Denkvermögen blockieren, sondern es ist unsere indoktrinierte Gebundenheit an sie, der Verbindlichkeitsanspruch also, den wir unseren sozialen Regeln unbesehen zumessen.*

Verhaltensvorschriften müssen nicht zwangsläufig abgelehnt werden – sie können ja durchaus sinnvoll und brauchbar sein. Halten wir diese Regeln jedoch von vornherein für verbindlich, dann fehlt uns die notwendige Distanz, um überhaupt beurteilen zu können, ob sie für uns akzeptabel sind oder nicht. – In diesem Fall sind wir durch unsere Vorurteile schon festgelegt und damit geistig blockiert, d. h. wir sind unfähig, unsere Normen und uns selbst zu korrigieren.

So ergibt sich folgender wichtiger Zusammenhang:

JE MEHR EIN MENSCH AN SOZIALE NORMEN GEBUNDEN IST, DESTO GERINGER IST SEINE GEISTIGE BEWEGLICHKEIT UND SEIN VERHALTENSSPIELRAUM.

Oder anders herum:

UNSER DENKVERMÖGEN UND DIE DARAUS RESULTIERENDE FÄHIGKEIT, UNSER VERHALTEN SELBST ZU BESTIMMEN, WÄCHST IN DEM MASSE, WIE ES UNS GELINGT, DEN VERBINDLICHKEITSANSPRUCH SOZIALER VERHALTENSMUSTER IN FRAGE ZU STELLEN.

Dieser Wirkungszusammenhang lässt sich beliebig anwenden:

Ein Mensch, der beispielsweise die Rolle eines Kriegsministers übernommen hat, ist von der Richtigkeit seiner Kriegsvorbereitungen überzeugt.

Hätte er Bedenken, dann würde er diese Rolle nicht spielen.

Wer imstande ist, die Auswirkung sozialer Rollen zu überblicken, wird diese (und die durch sie vorgegebenen Handlungsweisen) selbstverständlich dann ablehnen, wenn er die Auswirkungen als schädlich erkennt.

Aber der Kriegsminister – jeder Kriegsminister – ist normengeleitet und entsprechend in seinem Denken behindert und in seinem Verhalten festgelegt.

Er ist das Produkt eines negativen Ausleseprozesses (ohne dies freilich selbst zu erkennen).

Sicherlich ist dieser Person ebenso wenig ein Vorwurf zu machen, wie es unsinnig wäre, einem Kurzsichtigen seinen Sehfehler anzulasten – auch wenn die Folgen noch so fatal sind.

Aber wie man einen Schwerhörigen nicht Klaviere stimmen lassen sollte, so sollten wir die wichtigste Arbeit, die es für uns überhaupt zu tun gibt, nämlich DIE REGELUNG UNSERES MITEINANDERLEBENS, nicht ausgerechnet denen zumuten, deren geistige Beweglichkeit durch Normenbindungen stark eingeschränkt ist.

Es geht in dieser Schrift nicht darum darzustellen, dass die heute maßgeblichen Politiker nicht in der Lage sind, unser Miteinanderleben zu gestalten oder auch nur zu gewährleisten. So stumpf und träge sind wohl nur noch wenige von uns, dass wir dies nicht ohnehin schon längst wüssten.

Statt Jagd auf Sündenböcke zu machen, muss es

uns jetzt darum gehen, uns selbst von unseren sozialen Abhängigkeiten zu lösen, um schließlich neue Lösungskonzepte für politische Probleme zu erarbeiten.

Wie schon gesagt – es ist nicht damit getan, Erwartungen und Hoffnungen auf andere Personen zu setzen.

Sie allein müssen Ihr fremdbestimmtes Verhalten dadurch ersetzen, dass Sie lernen, selbständig denkend festzulegen, was zu tun richtig ist.

Sie werden so Ihre Handlungen auf Ziele hin lenken können, die Sie als besonders dringlich erkannt haben. Und Ihre Fähigkeit zu dieser autonomen, zielgerichteten Verhaltenssteuerung wächst in dem Maße, wie Sie sich von den sozialen Verhaltensnormen und -erwartungen emanzipieren. Aber nicht nur Ihr Denkvermögen wächst simultan mit dieser Loslösung, sondern auch Ihre Fähigkeit, sich selbst zu erkennen und bewusst zu empfinden. Diesen Zuwachs an Erlebnisfähigkeit werden Sie sogar noch höher einschätzen als die Ausweitung Ihres Denk- und Handlungsspielraums.

Unser Denkvermögen ist zwar ein nützliches Werkzeug, um unsere Handlungen bewusst auf gewollte Ziele hin zu steuern. Aber wir erleben unser Dasein besonders intensiv mit dem, was wir fühlen – nicht primär mit dem, was wir denken.

Wenn nun unser zwanghaft-ängstliches Streben nach Übereinstimmung mit unseren Gruppenmitgliedern, nach sozialer Konformität als falsch erkannt wird, wenn also der auf uns lastende Anpassungs- und Erwartungsdruck aufgehoben ist, dann empfinden wir dies natürlich als Erleichterung.

Plötzlich geht uns ein Licht auf, wie verblendet wir doch waren, all das völlig ungeprüft übernommen zu haben, was unsere Vorfahren in einer ganz anderen Zeit unter gänzlich anderen Lebensumständen mal für zweckmäßig erachtet und in sozialen Regeln festgeschrieben haben.

Plötzlich erkennen wir, dass uns heute unsere Denkfähigkeit eine viel bessere, zuverlässigere Orientierung bietet als die indoktrinierten Vorstellungen, Wertungen und Regeln aus einer längst vergangenen Zeit.

Am wichtigsten aber: Wir erkennen die Chance, denkend unser Miteinanderleben endlich so zu gestalten, wie wir es uns bisher allenfalls in kühnen Träumen wünschen konnten.

Wir erkennen, dass menschliche Koexistenz auch ohne selbstzerstörerische Konflikte, auch ohne egozentrisch kurzsichtige Vernichtung unseres Lebensraums verwirklicht werden kann.

Eine Erkenntnis, die im Kontrast zu unserer bisher als lähmend-ausweglos erscheinenden Situation hoffentlich von vielen als so erleichternd wahrgenommen wird, dass sie auch die erforderlichen Aktivitäten in uns freizusetzen vermag ...

»Was die Menschen ihr Schicksal nennen, ist gemeinhin nichts anderes als ihre eigenen dummen Streiche«
Arthur Schopenhauer

Über die alten und die neuen Politiker

Rüstungsgüter zu produzieren, ist eine kaum zu überbietende Dummheit.

Wir arbeiten, um ein Produkt zu schaffen, das wir nicht gebrauchen wollen – ja, wir stellen etwas mühsam her, vor dessen Verwendung wir sogar große Angst haben.

Ist es möglich, noch inkonsequenter zu handeln? Aber dass wir unsere Handlungen hier nicht denkend steuern, wissen wir ja bereits.

Begnügen wir uns also mit der Feststellung, dass wir mit der Rüstungsindustrie gezielt unerwünschte Produkte herstellen. Wir produzieren bestenfalls Abfall, Schrott – besonders üblen Sondermüll sogar, dessen Entsorgung uns noch beträchtliches Kopfzerbrechen bereiten wird.

Aber bedrückend und bedrohlich sind nicht diese mittlerweile unvorstellbar großen Berge an Vernichtungsgütern. Nicht die Waffen, nicht dieser ohne Umwege produzierte Sondermüll macht die Kriege – die werden allein von einzelnen, politisch tätigen, aber in dieser Funktion leider unfähigen Menschen gemacht.

Vor leblosen Gegenständen brauchen wir keine Angst zu haben. Fürchten müssen wir uns dagegen vor den Menschen, die sich immer noch einbilden, auf Waffen nicht verzichten zu können. So lange die politisch maßgeblichen Personen diese Fehlorientierung nicht korrigieren, lässt sich auch durch Abrüstung unsere gefährliche Situation nicht entscheidend verbessern.

Wir verfügen nun mal über ein Wissen, das es uns jederzeit ermöglicht, neue und immer vernichtendere Waffen zu erfinden und herzustellen.

Dieses sich ständig ausweitende Wissen können wir nicht »abrüsten«. Dieses latente Tötungspotential ist nun mal vorhanden ... Wir können es jedoch beherrschen, indem wir lernen, auf unsere Truppen und Kriegsgeräte zu verzichten.

Wenn wir in Zukunft unsere Kriegspolitik abschaffen, brauchen wir natürlich auch keine Waffen und Soldaten mehr. Das ist so einleuchtend, dass darüber nicht umständlich verhandelt werden müsste. *Aber nicht lediglich durch Abrüstung von Kriegsgerät, sondern erst durch einen Lernprozess werden wir befähigt, unsere irrsinnigen Kriege in Zukunft zuverlässig zu verhindern.*

Heute praktizieren wir in der Politik noch nicht das, was uns die Logik diktiert, sondern das, was tradierte Verhaltensmuster uns vorgeben.

Wir brauchen also lediglich zu lernen, unser Verhalten mit Hilfe unseres Denkvermögens zu steuern – und das ist keine unüberwindliche Hürde.

Kriege werden also nicht von Waffen in Gang gesetzt, sondern von Menschen – von einzelnen

Personen, die wir gemeinhin als »Politiker« bezeichnen.

Im Gegensatz zum Verhalten der Politiker alten Schlages haben Politiker nach unserer neuen Definition jedoch die Aufgabe, das MITEINANDER-LEBEN von Menschen möglichst gut zu regeln. Überall auf der Erde haben sie allein diese Aufgabe.

Und wenn dies der eine oder andere nicht kann, dann müssen wir dafür sorgen, dass diese wichtigste aller Arbeiten von fähigeren Personen getan wird.

Versager können wir uns hier in Zukunft nicht mehr leisten. Und die Kontrollinstanz für unsere Politiker sind wir selbst.

Wir werden also unsere Politiker in Zukunft daran messen, wie gut sie es verstehen, unser Miteinanderleben zu regeln!

Schließlich ist es unser Leben, das in der Obhut dieser Personen liegt – und zwar gleichermaßen überall, wo es auf unserem Planeten Menschen gibt. Zudem haben die Politiker dafür zu sorgen, dass auch unsere Nachkommen noch eine intakte, lebensfreundliche Welt vorfinden.

Das sind klare, eindeutige und zwingende Forderungen. Hier gibt es keinen Spielraum für Kompromisse, keine Toleranz für Mittelmäßigkeit.

Ein Politiker, der sich nicht konsequent an diese Zielvorgabe hält, ist in seiner Funktion nicht tragbar.

Alle politisch maßgeblichen Personen müssen sich sehr viel mehr Wissen über uns Menschen angeeignet haben, als es im begrenzten Rahmen dieser Schrift angedeutet werden kann. Darüber hinaus müssen sie fähig sein, sich denkend zu orientieren; ihr Denkvermögen darf keinesfalls durch Vorurteile, Traditionen oder durch dogmatische und ideologische Festlegungen blockiert sein. Und nicht zuletzt: Politiker müssen sich ihrer selbst in sehr hohem Maße bewusst sein, und sie müssen eine positive Einstellung zu sich selbst, zu ihrem Dasein und ihrer Umwelt haben. Das ist wichtig, weil wir unsere Mitmenschen im Spiegel unserer selbst sehen. Wer sich selbst nicht kennt und akzeptiert, der vermag auch seine Mitmenschen nicht als gleichwertig anzuerkennen.

Von den Personen, die uns bekannt sind, schätzen oder lieben wir einige besonders, während uns andere gleichgültiger oder weniger sympathisch sind.

Hinsichtlich einer sozialen Rangfolge haben wir aber kategorisch festgestellt:

KEIN MENSCH HAT EINEN HÖHEREN ODER GERINGEREN WERT ALS EIN ANDERER.

Diese Aussage ist für jeden selbstbewussten Menschen selbstverständlich, für alle anderen sollte sie ein unverzichtbares Axiom sein, ein zwingender Grundsatz, der keines Beweises bedarf.

Das heißt: Auch ein Politiker ist nicht mehr oder weniger wert als jede andere Person.

Und das heißt weiter: Wenn ein politisch maßgeblicher Mensch das Leben anderer Menschen gefährdet oder gar deren Verletzung oder Tötung veranlasst, dann gilt es, dies auf jeden Fall zu verhindern, denn sein Leben und seine Unversehrtheit ist nicht einen Deut mehr wert als das Leben und die Unversehrtheit jedes einzelnen seiner Opfer.

Es sind nicht »die Amerikaner«, »die Russen«, »die Deutschen«, »die Franzosen« usw., die über ein Tötungspotential verfügen, das vielfach ausreicht, alles höhere Leben auf unserem Planeten auszulöschen, sondern es ist allein eine geringe Zahl von politisch maßgeblichen Personen.

Da weder die in Russland, noch die in Nordamerika oder sonst wo auf der Erde lebenden Menschen die Neigung haben, sich auf Veranlassung von unfähigen Politikern töten zu lassen, widerspricht es krass der Logik, Politikern in Zukunft die Möglichkeit einzuräumen, Kriege anzetteln zu können.

Wozu auch brauchen unsere Politiker diese gewaltigen Mengen an Soldaten und Waffen, wenn es für sie schlimmstenfalls darum gehen kann, den einen oder anderen unfähigen Kollegen seines Amtes zu entheben?

Das wäre wohl doch etwas zu viel Aufwand – nicht wahr!

Kurzum:

Wenn sich einer unserer zukünftigen Politiker nicht kompromisslos und erfolgreich für eine radikale Entmilitarisierung einsetzt, dann zeigt er uns damit, dass er noch nicht im Entferntesten begriffen hat, wozu er überhaupt da ist.

Er zeigt uns seine Unfähigkeit in einer Weise, wie er es offensichtlicher nicht tun könnte.

Wie lange ertragen wir es noch, dass sich einzelne Menschen zu Lasten aller anderen mit einem gewaltigen Vernichtungspotential ausstatten, um nach Belieben darüber zu verfügen?

In eine aufgeklärte Zukunft passen diese Zustände nicht mehr hinein. – Sicherlich werden die Menschen späterer Generationen noch lange fassungslos und entsetzt sein, wenn sie auf unsere heutige Situation zurückschauen.

Um unfähige Politiker schnell und sicher zu erkennen, brauchen wir glücklicherweise nicht erst die fatalen Ergebnisse ihrer Handlungen abzuwarten. Wir wissen ja jetzt: Ist unser Verhalten bereits durch indoktrinierte Verhaltensnormen und -erwartungen festgelegt, dann sind wir außerstande, unsere Handlungen denkend auf ein angestrebtes Ziel hin zu lenken – z. B. auf die Regelung unseres Miteinanderlebens.

Weiter wissen wir, dass es vielen von uns heute noch schwer fällt, mit unserem Denkvermögen diese Barriere von anerzogenen Leitmustern und den daraus resultierenden Überzeugungen und Gewissheiten zu überwinden.

Die Arbeit maßgeblicher Politiker ist aber für uns alle so eminent wichtig, dass wir zumindest von ihnen diese geistige Leistung unbedingt fordern müssen.

Das ist ein hoher Anspruch. In jedem anderen Beruf ist eine gewisse Beschränkung unserer geistigen Beweglichkeit durch Vorurteile eher zu tolerieren – keinesfalls jedoch bei den Personen, die in Zukunft für Politik in dem hier definierten Sinne zuständig sein werden.

Ein hoher Anspruch und ein ganz neuer dazu. Wir dürfen den Politikern alten Schlages nicht anlasten, dass sie diesem Anspruch nicht genügen konnten.

Aber für die Zukunft ist uneingeschränktes Denkvermögen ein unabdingbares Eignungskriterium für alle, die in wichtigen politischen Funktionen tätig sind.

Wie erkennen wir nun schnell und zuverlässig, ob eine bestimmte Person für ein wichtiges politisches Amt in Frage kommt oder nicht?

Nun – auch unsere Sprache ist zunächst ein vorgegebenes soziales Muster. Wir müssen unsere Wörter in der Kindheit von älteren Bezugspersonen übernehmen – wir haben keine andere Wahl.

Als Kleinkinder ahmen wir zuerst lediglich Lautkombinationen nach, und später entdecken wir in zunehmendem Maße, dass diese Wörter auch zur Übermittlung von Informationen dienen, dass sie sehr verschiedene Inhalte haben und dass Informationen auch in Schriftform empfangen und weitergegeben werden können.

Unseren Anlagen folgend lernen wir das Sprechen und Schreiben als Kinder erfreulich mühelos und schnell. Sehr viel schwerer fällt es uns dagegen später, Wortinhalte bewusst zu reflektieren, also den informativen Gehalt von Wörtern zu extrahieren.

Gerade das aber ist unumgänglich, wenn wir Wörter nicht unkritisch als vorgegebene Muster hinnehmen und nachahmen, sondern gezielt zur

Speicherung und Weitergabe von Informationen verwenden wollen.

Gebraucht jemand Wörter und Sätze allein deshalb, weil er es so gelernt hat und weil andere es auch so machen, dann gibt dieser unreflektierte Sprachgebrauch deutliche Auskunft über die geistigen Grenzen der betreffenden Person.

Je besser ein Mensch dagegen gelernt hat, Wörter daraufhin zu prüfen, ob sie einen informativen Gehalt besitzen (und welchen), desto größer ist seine geistige Beweglichkeit und seine Kritikfähigkeit.

Je häufiger ein Mensch Sprache also lediglich nach gewohnten Mustern benutzt, ohne sich dabei bewusst zu sein, ob und welche Information er weitergibt, desto weniger denkt er und desto weniger ist er auch für politische Aufgaben geeignet.

Wer Sprache bewusst einsetzt, um bestimmte Informationen an andere weiterzugeben oder sich selbst anzueignen, für den werden die Wörter zum frei verfügbaren Werkstoff. So lange er dies noch nicht kann, sind Wörter und Sätze für ihn unmittelbar verbindlich. Er muss sie kritiklos hinnehmen – er kann sie nicht auf ihren informativen Gehalt hin prüfen und entsprechend verwenden.

Einige Beispiele wurden schon genannt.

So häufig gebrauchte Wörter wie »Gesellschaft«, »Freiheit«, »Verteidigung«, aber auch z. B. »Pflicht«, »Ehre«, »Schuld«, »Sicherheit«, »Würde« sind je nach dem Kontext, in dem sie verwendet werden, entweder ohne jeden informativen Gehalt oder sie sind vieldeutig.

Für eine zuverlässige Informationsübermittlung ist es erforderlich, solche Wörter umschreibend zu interpretieren oder sie zu definieren. Und da dies nötig ist, kann man besser gleich auf sie verzichten und sich um eine eindeutige Beschreibung dessen bemühen, was man mitzuteilen hat.

Die Aufzählung derartig inhaltsleerer, inhaltsarmer oder vieldeutiger Wörter ließe sich noch lange fortsetzen. Man mag sie in anderen Bereichen tolerieren, da sie uns großen Interpretationsspielraum lassen ...

Zum Denken jedoch, also zum zielgerichteten Sammeln und Auswerten von Informationen, können wir diese primär an Gefühle appellierenden Wörter nicht gebrauchen.

Kurzum: Mit seiner Ausdrucksweise demonstriert jeder Mensch bewusst oder (meistens) unbewusst seine geistigen Fähigkeiten.

Manch einer würde wohl vor Scham erröten, wenn er wüsste, wie entlarvend und aufschlussreich für aufmerksame Zuhörer und Leser all die Ungereimtheiten sind, die er unreflektiert und mit dem Brustton der Überzeugung coram publico von sich gibt.

»Wir sind nicht nur verantwortlich für das, was wir tun, sondern auch für das, was wir nicht tun.«

Voltaire

Ein flüchtiger Blick in die Zukunft

Nur Lebewesen können handeln.

Nicht Länder, Staaten, Hauptstädte können etwas tun oder unterlassen, und auch Institutionen wie Regierungen, Parteien, Gewerkschaften oder Vereine sind nicht zu Aktivitäten befähigt, sondern nur deren einzelne Mitglieder.

Wenn wir bestimmte Resultate menschlichen Verhaltens (z. B. Kriege, Umweltschädigungen, Arbeitslosigkeit usw.) negativ bewerten und vermeiden wollen, dann müssen wir uns schon an die Personen wenden, die dies bewirkt oder entgegen ihrer Aufgabe nicht verhindert haben.

Sich an leblose Einrichtungen und Organisationsformen zu richten, wäre dagegen die falsche Adresse und würde unsere Politiker geradezu ermutigen, sich mit ihrem Fehlverhalten hinter ihren Institutionen und sozialen Rollenmustern zu verstecken.

Es ist nun leicht, Kritik an Politikern zu üben, deren Unvermögen uns ja ohnehin bekannt ist. Außerdem muss bezweifelt werden, dass solche Kritik den Betroffenen helfen kann, ihr falsches Verhalten zu korrigieren.

Feste Überzeugungen sind leider nur selten durch

rationale Argumente abzubauen. Geistige Festlegungen sind ja gerade die Bretter vor den Köpfen, die unverrückbaren Denkblockaden, die eine geistige Beweglichkeit ausschließen.

Realistischer ist deshalb die Annahme, dass eine neue, zeitgemäße Politik nach den hier formulierten Definitionen und Vorbedingungen auch anderer Personen bedarf.

Das brauchen nun beileibe keine unfehlbaren Supermänner und -frauen zu sein. (Die wird es nie geben). Aber diese neuen Politiker sollten schon – im Unterschied zur »alten Garde« – eine Ausbildung absolviert haben, die sie befähigt, zur Regelung unseres Miteinanderlebens konstruktiv beizutragen. Sie sollten nicht (wie beschrieben) durch tradierte Vorstellungsklischees und daraus resultierende Vorurteile in ihrer Denkfähigkeit behindert sein, was bei jüngeren Menschen eher erhofft werden kann als bei alten.

Sie müssen sich zudem ihres Menschseins bewusst sein. Sie dürfen also nicht auf eine vergleichende Selbstbewertung angewiesen sein, und sie dürfen nicht sozialen Rollen verhaftet sein.

Die Frage, wie viele Personen diese Bedingungen wohl in naher Zukunft erfüllen werden, braucht uns nur am Rande zu beschäftigen. Wie es nur eine begrenzte Zahl an guten Facharbeitern, Handwerkern, Ärzten, Musikern, Lehrern gibt, so wird sich auch nicht jeder die Fähigkeiten aneignen können, die wir hier für gute Politiker fordern. Das ist selbstverständlich auch nicht nötig. Außerdem können wir bestimmte berufliche Qualifikationen gezielt mit einer entsprechenden Ausbildung fördern.

Es erübrigt sich auch, mehr oder weniger optimistische allgemeine Zukunftsprognosen zu stellen, denn wir selbst machen unsere Zukunft. Je mehr wir uns für sie einsetzen, desto hoffnungsvoller können wir auch sein, eine wünschenswerte Entwicklung in Gang zu setzen.

Wenn wir dagegen wie bisher nichts tun, wenn wir uns weiter im alten Fahrwasser treiben lassen, dann müssen wir natürlich auch die Folgen unserer Unterlassungen tragen. Sind wir also zu träge, uns in unserem Verhalten neu zu orientieren, dann wird der Homo sapiens schon nach so kurzer, unbefriedigender Entwicklungszeit wieder aussterben ...

Bemerkenswert wäre dann vielleicht noch, dass sich hier erstmals eine ganze Art eigenhändig und ohne jede Notwendigkeit vernichtet.

Sehr bedauerlich wäre zudem, dass wir mit uns auch viele andere Lebewesen endgültig ausrotten würden, die sich auf diesem Planeten schon sehr viel länger als wir bewährt haben, und die ohne unsere destruktive Anwesenheit vermutlich auch noch sehr viel länger existieren könnten.

Wir haben also nur diese Alternative:

Entweder unterziehen wir uns der Mühe, fortan unser soziales Verhalten denkend zu bestimmen, oder wir folgen weiterhin passiv und blind unserer altvertrauten fremdbestimmten Verhaltenssteuerung, die – wie wir wissen – auf unsere Selbstvernichtung abzielt.

Die Wahl sollte uns nicht schwer fallen.

Konzepte für soziale Innovationen werden von einzelnen Personen gefunden.

Für den Menschen, dem das ausnahmsweise gelingt, ist diese produktive Neuleistung ein Zufallsergebnis, denn etwas bisher gänzlich Unbekanntes kann nicht gezielt erarbeitet werden, das Ziel ergibt sich erst ganz überraschend im Verlauf des schöpferischen Prozesses.

Die Fragestellung (die Problematisierung) ist allerdings gleichzeitig für sehr viele Menschen vorgegeben.

Nicht wahr, es gibt heute unzählige Menschen, die die Probleme des Militarismus, der Umweltzerstörung und des Bevölkerungszuwachses durchaus deutlich erkennen und als bedrückend empfinden.

Ohne diesen Leidensdruck wüchse bei uns auch nicht die Bereitschaft, eine angebotene Problemlösung hierzu (eine soziale Innovation) anzunehmen.

Wir müssen uns also schon einer großen Belastung ausgesetzt fühlen, um aus der Geborgenheit der uns anerzogenen und vertrauten Leitvorstellungen auszubrechen.

So lange wir unsere Fehler nicht zu erkennen vermögen, können wir auch noch keine Lehren aus ihnen ziehen.

Wer dafür noch nicht die nötige Sensibilität und einen entsprechenden Informationsgrad erreicht hat, dem bleibt auch eine Neuorientierung und ein Bewusstseinszuwachs verschlossen.

Anders formuliert:

Nur derjenige, der eine lebensbedrohende Gefahr zu erkennen vermag, kann auch versuchen, ihr auszuweichen. Wer diese Gefahr nicht wahrnimmt, wer sie verniedlicht oder verleugnet, kann ihr nicht entkommen – er ist ihr unausweichlich ausgeliefert.

Wir können die kritische Situation, in der wir heute leben, also bagatellisieren oder leugnen, aber entkommen können wir ihr so nicht.

Dies gelingt uns nur, indem wir unser falsches Verhalten korrigieren.

Mit dieser Schrift wurde der Versuch gemacht, Ihnen eine Anleitung für die notwendige Korrektur Ihres Verhaltens zu geben.

Nun reicht das Lesen einer Reparaturanleitung natürlich nicht aus, um den Defekt einer Maschine zu beheben. Wenn wir jetzt wissen, was zur Fehlerbehebung zu tun ist, bleibt uns immer noch, die Reparatur auch auszuführen.

Auf unsere notwendige Neuorientierung bezogen heißt das: Jeder Mensch, der dazu in der Lage ist, muss sich selbst die hier beschriebene autonome Verhaltenssteuerung erarbeiten. Jeder dazu fähige Mensch muss also lernen, sein soziales Verhalten in ganz ungewohnt neuer Weise denkend zu bestimmen und zu steuern.

Das ist nicht leicht, zumal uns ja während unseres Heranwachsens sehr nachdrücklich eine ganz andere Verhaltensorientierung indoktriniert wurde.

Kinder und Jugendliche werden später einen viel

leichteren Zugang zu diesem neuen Wissen haben, weil sie im Gegensatz zu uns nicht gleichzeitig ein schon vorhandenes und fest verinnerlichtes Orientierungsprogramm löschen müssen.

Wir haben also heute eine sehr viel größere Hürde zu überwinden, um uns autonom orientieren zu können, als die Menschen nach uns.

Unsere Nachkommen werden unsere gegenwärtige fremdbestimmte Verhaltensorientierung also allenfalls als die für sie unbegreifliche Barbarei einer sehr finsteren Vergangenheit geschildert bekommen.

Einen näheren Zugang zu unserer geistigen Vorstellungswelt werden sie dann nicht mehr haben. Wie sollte man auch späteren Menschen erklären, dass wir noch bis ins 21. Jahrhundert hinein weltweit einen unvorstellbar großen Aufwand getrieben haben, der allein dem irrsinnigen Ziel diente, uns gegenseitig verletzen und töten zu können?

Um wieder die nähere Zukunft ins Auge zu fassen: Vielleicht werden es anfangs nur wenige von uns sein, denen es gelingt, sich autonom zu orientieren. Aber sie werden sich weltweit verstreut überall dort finden, wo heute Menschen das Glück haben, mit einem gewissen Niveau von schulischer Ausbildung und Informiertheit aufzuwachsen. Für die Regelung unseres Miteinanderlebens bedarf es erfreulicherweise nicht vieler Personen.

Und wenn diese Menschen vorurteilsfrei und zielgerichtet Problemlösungen erarbeiten, dann gibt es zwischen ihnen keine unüberbrückbaren Meinungsverschiedenheiten mehr, denn alle haben nur ein und dieselbe Aufgabe, ein und dasselbe Ziel. Ihr Erfolg hängt besonders von ihrem Einfühlungsvermögen, vom Grad ihrer Informiertheit und von ihrem kombinatorischen Denkvermögen ab.

Auf jeden Fall wird diese Arbeit von Anfang an unvergleichlich viel hilfreicher und effizienter sein als all das, was wir mit unserer alten, fremdbestimmten Verhaltenssteuerung jemals erreichen konnten.

Die neuen, selbstbewussten Menschen in Politik, Lehre, Wirtschaft und Forschung werden es auch nicht mehr nötig haben, einen Selbstwert durch Streben nach Macht und Sozialprestige zu manifestieren. Wer dann immer noch darauf angewiesen ist, verdient allenfalls unser Mitleid, nicht aber eine wichtige Position.

Auch dogmatische Fixierungen gehören dann der Vergangenheit an.

Nicht der untaugliche Versuch, die unterschiedlichen Interessen, Wünsche und Bedürfnisse von Menschen zu leugnen oder zu nivellieren, nicht das Streben nach Vorteilen auf Kosten anderer kann in Zukunft unsere politische Zielvorstellung sein, sondern das psychische und physische Wohlbefinden aller Menschen.

Wir brauchen für unser Wohlbefinden in der Regel Aufgaben, die uns wichtig sind und für die wir uns erfolgreich einsetzen können. Für jeden selbstbewussten Menschen ist es befriedigender, anderen helfen zu können als arbeitslos zu sein oder sich überflüssig zu fühlen. Unbehagen bereitet auch das Bewusstsein, sich auf Kosten anderer Menschen ein privilegiertes, luxuriöses Parasitendasein zu leisten. Am schwersten zu ertragen muss aber zweifellos das Wissen sein, das eigene Leistungspotential zum Schaden anderer Menschen einzusetzen. (Ein Kriegsminister, der weiß, was er tut – wenn es ihn denn gäbe – ist wirklich nicht zu beneiden.)

Als autonom denkende Menschen werden wir also bestrebt sein, unser Leistungsvermögen so einzusetzen, dass anderen direkt und indirekt geholfen wird.

Und da wir Menschen auf unserem Planeten nur in einem stabilen Gleichgewicht mit einer intakten Umwelt schadlos überleben können, ist auch unser überlegt-unsentimentaler Einsatz für Tiere und Pflanzen und deren adäquaten Lebensraum eine Aufgabe, die uns zu befriedigen und zu erfüllen vermag.

Am wichtigsten aber und am schwersten zu erfüllen ist die zwingende Notwendigkeit, die Zahl der auf unserer Erde lebenden Menschen zu kontrollieren und zu begrenzen.

Eine Aufgabe, die nicht gelingen wird, solange junge Frauen noch ein zu geringes Selbstbewusstsein besitzen, oder von starren traditionsgeleiteten Männern daran gehindert werden, ihre Familie autonom, verantwortungsbewusst und mit Liebe zu planen.

Wir Menschen selbst werden immer die größte

Gefahr für uns bleiben – auch ohne Soldaten und Waffen.

Allein unsere Sensibilität, unser Wissen und unser Denkvermögen vermag uns Schutz zu gewähren.